Ne vous noyez pas
dans un verre d'eau...
à l'usage des couples

RICHARD CARLSON

Ne vous noyez pas dans un verre d'eau... à l'usage des couples

Traduit de l'américain
par Jean-Paul Mourlon

Bien*être*

Avant-propos

Une relation de couple sincère est un des plus grands trésors de l'existence. Vivre à deux est un merveilleux cadeau, riche d'amour, de complicité et de sécurité. Toutefois, si harmonieux que soient les rapports amoureux, ils s'accompagnent souvent d'une certaine dose de stress. Cela vient du fait même qu'un couple est composé de deux individus – il faut faire des compromis et des sacrifices, pardonner, accepter les différences. Parfois on est en désaccord, ou bien l'un a des exigences, des besoins et des désirs qui lui sont propres. Il arrive également que chacun se fixe des priorités et des objectifs divergents, et doive faire face aux questions et aux humeurs de l'autre.

Les auteurs de cet ouvrage ont fait un très beau travail : ils ont répertorié avec talent et humour nombre de tactiques visant à surmonter le stress corollaire de la vie de couple. C'est un recueil de stratégies, conçues pour vous donner à tous deux des outils simples et pratiques. Ensemble, vous pourrez vous libérer plus aisément des entraves du quotidien, et concentrer votre attention sur l'amour qui vous unit. Il est fréquent que, dans nos relations, nous fassions un usage négatif ou destructeur de notre réflexion. En prendre conscience, découvrir la puissance de la pensée, est un outil magique qui renforce l'amour que nous portons à notre partenaire. Il nous aide à débusquer toutes les habitudes négatives qui peuvent s'être insinuées dans nos rapports.

Je vous encourage à lire ce livre seul(e), ou côte à côte avec l'autre. Dans les deux cas, je suis persuadé que vous allez apprendre des « trucs » très utiles.

La relation que j'ai avec Kris, ma femme, constitue une part essentielle de ma vie. Nous nous efforçons tous deux, jour après jour, d'améliorer la qualité de notre union. Bien des idées contenues dans ce livre ont trouvé un écho dans nos cœurs, et je pense qu'il en ira de même pour vous.

J'espère que cet ouvrage vous rendra d'énormes services, à vous et à votre partenaire.

Cultivez le don de l'amour !

RICHARD CARLSON,
Californie

1

Souvenez-vous du coup de foudre

D ans la plupart des relations, il existe une période, tout au début, où nous sommes si bouleversés par l'alchimie de l'amour que peu nous importent les frictions qui, plus tard, seront source de stress. Puis, nous redescendons presque tous de notre petit nuage, mais il nous arrive parfois d'aller trop loin en sens inverse. L'amour a cessé de nous aveugler, et il nous faut affronter la réalité d'une autre personne de chair et de sang. C'est là un élément naturel, nécessaire et sain de l'amour, mais qui est à l'origine de souffrances.

Malheureusement, on n'a pas encore inventé de remède-miracle aux frictions de la vie de couple. Mais la façon dont vous considérez l'autre peut affecter profondément l'incidence de ces tensions. Si vous gardez à l'esprit comment et pourquoi vous avez eu le coup de foudre, vous garderez une opinion favorable de votre partenaire.

Rappelez-vous la première fois où vous l'avez rencontré. Souvenez-vous des détails de sa personnalité, de son apparence, de ses préférences et de ses habitudes. Pensez à la manière dont ces détails vous ont ému quand ils étaient nouveaux pour vous, rappelez-vous ce qui vous a paru attirant.

Se souvenir du coup de foudre fonctionne à double sens. Amusez-vous à arpenter la « rue du souvenir » avec votre partenaire. Au début de la romance, vous partagiez des émotions très vives, des moments exaltants. S'en souvenir à deux peut leur rendre leur fraîcheur et raviver votre amour actuel. Fêtez des occasions particulières en retournant dans des endroits qui ont eu de l'importance pour votre couple. Sortez de vieilles photos, riez en vous remémorant les jours heureux, prévoyez des activités que vous aimiez faire ensemble. Ne cherchez pas à recréer le passé, mais aidez-le à nourrir le présent.

En bref, faites de votre histoire commune un outil puissant pour une vie plus heureuse et plus gratifiante avec votre partenaire. Ainsi, vous libérez de l'espace pour un amour qui ne fera que croître et s'épanouir.

2

Lisez le même livre

Il faut du temps aux gens pour s'éloigner l'un de l'autre. C'est la conséquence de centaines de choix différents. Les deux partenaires se tournent chacun vers les occupations qui leur paraissent attrayantes, et réservent les activités plus banales aux moments communs. Peu à peu, la relation sombre dans l'ennui.

Il faut également du temps pour édifier les fondements solides d'une vitalité partagée.

Le temps qu'un couple choisit de consacrer ensemble à des activités stimulantes n'est jamais perdu. Évoluer de concert, et non séparément, exige de partager les apprentissages de l'existence, jour après jour.

Peut-être votre partenaire s'adonne-t-il au golf, à la course à pied, au ski. Peut-être n'avez-vous n'ayez aucune expérience de ces activités. Peut-être êtes-vous dépourvu des capacités physiques nécessaires, ou l'activité en question ne vous passionne pas. Mais cela ne vous dispense pas de manifester votre intérêt. Que les points forts de votre partenaire soient intellectuels, artistiques, ou concernent les tâches domestiques, y prendre part vous donne l'occasion d'acquérir des compétences nouvelles, et de mieux connaître la personne que vous aimez.

N'hésitez pas à faire partager vos propres passions. Si vous êtes tous deux de grands lecteurs, lisez le même livre, séparément ou à voix haute, chacun à votre tour. Évoquez les sensations qu'il vous inspire. Cette lecture devient ainsi une expérience partagée qui vous rapproche l'un de l'autre. Adonnez-vous à une activité nouvelle qu'aucun de vous deux n'a jamais essayée ou maîtrisée. Tentez des leçons de danse, participez à des randonnées en vélo. Si vous aimez voyager, et en avez les moyens, partez pour des endroits qu'aucun de vous deux n'a explorés. Si vous êtes sociables, faites-vous des amis communs.

Chaque choix d'apprendre et de se développer ensemble vous permet de bâtir une histoire commune, de dresser un inventaire d'activités engageantes qui vous lient, et vous rendent plus intéressants l'un pour l'autre.

3

Soyez un ami

Les partenaires pour la vie ne se traitent pas nécessairement comme les amis qu'ils pourraient et devraient être. Il peut y avoir bien des raisons à cela, mais le résultat est que les amitiés les plus chères sont extérieures à l'amour.

Cela n'a rien d'obligatoire. Il est possible de modifier un statu quo décevant. Pour commencer, promettez-vous d'être pour votre partenaire le genre d'ami que vous aimeriez avoir. Soyez toujours là dans les moments difficiles, offrez une épaule pour pleurer en cas de chagrin, tendez une oreille attentive quand la vie est compliquée. Félicitez l'autre en cas de réussite, accordez-lui le bénéfice du doute quand vous ne comprenez pas ce qui se passe. Conservez, et exprimez, la confiance que vous lui portez.

Vous devez également lui enseigner comment être votre ami. Trouvez un moyen de communiquer sans recourir aux accusations. Plutôt que de dire : « Tu n'as jamais... » ou « Si seulement tu... », dites : « Ce serait très important pour moi si... » ou « J'ai besoin que... » De cette manière, vous reconnaissez que ces besoins sont les vôtres, et permettez à votre partenaire de vous faire don de son amitié.

Quand vous témoignez de l'affection et vous voyez repoussé, analysez d'un peu plus près votre propre attitude. Vous préoccupez-vous de ce qui est important pour l'autre ? Traitez-vous votre partenaire comme vous traitez vos amis proches ? Et surtout, avez-vous réfléchi à la colère ou au ressentiment qui empoisonnent peut-être votre couple ? Il arrive parfois que l'amitié demeure inopérante parce qu'on n'a pas présenté des excuses pourtant nécessaires.

Peu de choses dans la vie apportent plus de joie qu'une amitié solide avec la personne que vous aimez. Si vous exprimez l'importance que vous attachez à cette amitié, vous pourrez surmonter les réactions mesquines. En réglant le problème qui est à la source de la difficulté, les symptômes disparaîtront d'eux-mêmes.

4

Chantez sous la douche

P armi votre entourage, il y a des personnes quiont rencontré nombre d'épreuves mais gardent leur optimisme. Et il y a celles qui semblent disposer d'un véritable aimant pour tout ce qui est négatif, qui se lamentent même quand tout va bien, et sont toujours prêtes à désigner les événements ou les gens responsables de leurs afflictions.

La différence entre les uns et les autres tient à leur attitude, ce qu'on serait tenté d'appeler le « climat intérieur ». Les premiers adoptent une philosophie positive de l'existence, problèmes potentiels compris, ce qui les pousse à accepter les embûches et à chercher des solutions positives.

Et c'est bien là l'important. Pour parvenir à une joie et un optimisme plus profonds, tout commence par le désir conscient d'être heureux. Cela ne dépend pas des aléas de la vie, ni des humeurs de votre partenaire. Cela ne tient qu'à vous. Cela peut être aussi simple que de chanter sous la douche, ou aussi compliqué que de faire le bilan des souffrances et des chagrins accumulés pendant une vie entière.

Toutes sortes d'options s'offrent à vous si vous voulez adopter une attitude positive. Songez par exemple à la quantité de temps que vous consacrez à votre vie affective. La réflexion, l'attention aux autres constituent des moyens de retrouver un esprit rempli de joie.

Votre bien-être émotionnel est également lié à votre bienêtre physique. Beaucoup de gens savent que la bonne humeur est un des effets secondaires d'exercices réguliers.

Quand ils prennent soin de manger et de boire de manière équilibrée, ils ont plus d'enthousiasme et d'énergie.

Songez également à la façon dont vous traitez votre propre conscience. Comment la nourrissez-vous ? Un régime de spectacles ou de films violents ne permet guère de stimuler l'espoir. De même, chaque minute passée en compagnie de geignards chroniques, d'amateurs de ragots ou de gens qui voient tout en noir ne pourra qu'influer sur votre climat intérieur. Choisissez avec soin votre nourriture mentale. Saupoudrez-la d'une forte dose d'expériences revigorantes, par le biais de ce que vous écoutez, lisez, observez. Compensez le temps que vous passez avec des gens négatifs en prenant soin d'en consacrer autant à ceux qui suivent un chemin plus positif.

5

Transformez les ornières en rituels

Une ornière est un chemin si bien tracé qu'il rend tout changement difficile. Quand vous l'empruntez, vous suivez toujours la même direction. Vous pouvez envisager une autre façon de marcher, ou changer de destination, mais c'est si compliqué que vous êtes découragé. De ce sentiment d'accablement, de cette impression d'avoir manqué des occasions, naissent les regrets et les griefs contre vous-même. Pire encore, vous pouvez être tellement habitué à ces ornières que vous n'envisagez même pas un autre chemin.

Pourtant, la vie n'est pas simplement un événement qui nous arrive. Nous choisissons quelle ornière creuser et nous choisissions de nous y embourber. Ce n'est pas, en soi, la création et le maintien d'habitudes qui font tant de dégâts. C'est plutôt de ne pas se demander pourquoi nous suivons le même chemin de la même manière, alors qu'un autre nous serait peut-être plus profitable.

Une ornière peut être un schéma de pensée, une réaction machinale, un type de comportement. Si vous poursuivez votre chemin trop longtemps sans y prendre garde, vous risquez de compromettre le bien-être de votre relation amoureuse. Un chemin battu perd une partie de son impact quand vous vous rendez compte que vous le suivez. Cela vous donne l'occasion de repenser le schéma que vous avez choisi, d'en changer, ou de transformer l'effet qu'il a sur vous.

Par exemple, l'habitude de lire le journal chaque matin au petit déjeuner. Beaucoup s'agacent d'avoir à contempler la

15

première page d'un quotidien par-dessus leur tasse de café. De cette irritation en surgissent bien d'autres, simplement parce que la journée commence par un comportement partagé – l'un lit en silence, l'autre n'y fait pas objection de manière constructive – qui se révèle, en définitive, très destructeur.

Lire le journal au petit déjeuner peut agrémenter le temps qu'un couple passe ensemble, si c'est là un choix conscient. Discuter de l'actualité, se regarder fréquemment, peut transformer une habitude déplaisante en un plaisir et un échange. Suivre ensemble, de manière régulière, une émission télévisée, ou regarder la même série, peut devenir un rituel qui réchauffe votre amour.

Ce qui transforme une ornière en rituel, c'est une décision partagée consciente. Ce qui empêche les rituels de devenir des ornières, c'est la volonté de rester vigilant et de continuer à choisir.

6

Attendez la fin de la phrase

Peu de talents ont autant d'importance, pour la qualité d'une relation, que celui de savoir écouter. En ce domaine, le premier pas consiste à être vigilant, car les humains pensent beaucoup plus vite qu'ils ne parlent. Quand votre partenaire s'exprime, vous suivez ce qu'il dit, et il vous reste du temps. Ce qui peut pousser votre esprit à vagabonder, à tel point que vous cessez d'écouter. De surcroît, comme vous pensez plus vite que l'autre ne parle, vous pouvez anticiper ce dont il est question. Vous pouvez finir la phrase pour lui, littéralement ou mentalement. Vous n'écoutez pas le véritable message, et les malentendus s'ensuivent.

Savoir écouter dépend aussi de votre comportement corporel. Accompagnez les paroles de votre partenaire par des gestes, des expressions, des postures. Croisez son regard. Transmettez physiquement que vous êtes « avec » l'autre. Hochez la tête avec attention, ne la secouez pas, évitez de croiser les bras. Les gestes qui vous donnent l'air d'écouter peuvent vous aider à écouter réellement.

Ne croyez jamais que vous devinez la suite. Comme tout le monde, votre partenaire se transforme constamment, selon des indices qu'on ne peut découvrir qu'en faisant très attention lors des conversations. Si vous n'attendez pas la fin de la phrase, vous manquerez peut-être les changements en cours – et l'occasion de mieux connaître celui ou celle que vous aimez.

Écoutez sans porter de jugement. Le meilleur moyen de réduire quelqu'un au silence est de le critiquer au lieu de l'écouter. Prenez soin d'éclaircir ce que vous entendez. Réfléchissez avant de réduire la conversation à vos propres préoccupations. Parfois, par souci de témoigner de la sympathie, nous répondons par des révélations à celles faites par notre partenaire. Cela peut assurer une compréhension mutuelle, mais si cela se produit trop vite ou trop souvent, cela traduit un manque d'intérêt. Se concentrer entièrement sur les paroles de son compagnon, lui donner le temps d'achever de parler, voilà le secret pour écouter.

7

Apprenez la langue des signes

D'expérience, nous connaissons les préférences, les frustrations et les faiblesses de l'autre. Certaines de ces particularités personnelles ont des conséquences publiques, et parfois il nous est nécessaire d'en parler devant les autres. Peut-être l'un d'entre vous a-t-il tendance à parler trop fort, à quitter une réunion en hâte ou à vouloir échapper aux raseurs. Quel que soit le problème, il peut être gênant que votre entourage le remarque.

Le seul moyen efficace de surmonter cela, c'est d'inventer un ensemble de signaux vous permettant de communiquer en tant que couple. Supposez par exemple que lors d'un dîner, votre partenaire trempe accidentellement une manche dans son assiette. Convenez entre vous que, dans ce genre de situation, vous demanderez : « Est-ce que tu aurais un mouchoir ? ». On peut aussi croiser le regard de l'autre en se tirant sur le lobe de l'oreille pour indiquer qu'il conviendrait de se brosser les dents… La nature de ces signaux a moins d'importance que leur existence même. Cette communication silencieuse vous permet à tous deux d'être des alliés, de sauvegarder votre intimité et votre amour propre en public.

Quand vous prenez conscience d'une situation gênante, il peut être utile de réfléchir avant de parler. En public, s'il vous faut affronter un écueil que n'avez jamais rencontré auparavant, rester silencieux et en parler plus tard constitue souvent la meilleure des solutions. Admettez que vous ne savez que dire, et discutez-en ensuite. À l'avenir, vous saurez ce que l'autre préfère. Quand le problème se représentera et que vous mettrez en œuvre votre plan d'action, vérifiez ensuite que vous êtes tous deux satisfaits des résultats.

Maintenir une communication intime prévient les humiliations, les souffrances, et les querelles qui s'ensuivent. Vous traitez ainsi l'origine des frictions, non les symptômes et, ce faisant, renforcez votre amour.

8

Ne lésinez pas sur les louanges

Au début d'une relation amoureuse, nous avons tendance à ne remarquer que les aspects positifs. Mais, au fil du temps, à mesure que nous découvrons des traits négatifs chez l'autre, nous révisons notre point de vue. Nous constatons que nos partenaires sont, comme nous, pétris de qualités et de défauts. Ce que nous percevons comme un défaut menace souvent notre propre sentiment de bien-être et de confort, si bien que, pour nous sentir heureux, en sécurité, nous désirons y remédier, ou le voir disparaître.

Hélas, le mécanisme qui nous fait déceler un défaut et y réagir, peut finir par éclipser les qualités. Ce que nous aimions chez l'autre passe à l'arrière-plan. Nos discours deviennent un flot d'inquiétudes, d'accusations et de récriminations. De leur côté, ils se demandent si nous les aimons encore. En réaction, ils contre-attaquent. Il en résulte que chacun renforce le négatif, et non le positif, chez l'autre.

On peut inverser ce processus. Commencez par vous montrer honnête avec vous-même. Nous avons tous des défauts. Cela peut vous réconforter de connaître ceux de votre partenaire, et devrait vous rappeler que jamais vous ne trouverez quelqu'un de parfait. Envers une personne qui est, comme vous, imparfaite, vous disposez d'un potentiel de sympathie et de pardon. Ayant pris en compte le négatif, vous pouvez vous en libérer pour vous concentrer sur le positif. Décidez d'identifier et d'examiner avec soin, chaque jour, une caractéristique ou une qualité particulièrement admirable de votre partenaire. À la fin de la semaine, partagez avec l'autre votre opinion concernant l'un de ces traits. Cela peut être aussi simple que de déclarer : « Je voulais simplement te dire à quel point j'apprécie cette qualité en toi. »

Bien entendu, la priorité numéro un est d'exprimer vos louanges à la personne que vous aimez. Trop souvent, nous tenons pour acquis que nos partenaires savent ce que nous apprécions en eux. En réalité, nous avons tous besoin d'être rassurés sur nos qualités et sur nos actes, en particulier dans le domaine de l'amour.

9

Partagez le bac à sable

Il est étonnant que des adultes matures et responsables se montrent si puérils dès qu'il est question de partager le même espace. L'amateur d'ordre déclare la guerre aux piles de cochonneries entassées par un partenaire porté à l'accumulation, ou s'arrache les cheveux à la vue d'un couvre-lit en désordre. L'amoureux de la nature sanglote lorsque l'autre taille les buissons avec trop de zèle.

La plupart du temps, ces frictions sont liées à notre éducation, et à des habitudes qui nous sont personnelles. Et si deux personnes dont les penchants sont opposés cohabitent, des tensions surgissent.

Vous souvenez-vous du temps où votre plus gros problème était de partager vos jouets avec vos amis, dans le bac à sable ? Vous y traciez une ligne et déclariez : « Ici c'est mon côté, et là c'est le tien. » Ou bien vous entassiez les jouets au milieu, et choisissiez chacun à votre tour qui s'en servirait.

Vous êtes des adultes, vous vous aimez et vous vivez ensemble : admettez qu'il est moins question du bien et du mal que des différences. Après tout, où est-il écrit que l'ordre est, moralement parlant, supérieur au désordre ? Ou que les buissons doivent être taillés selon des formes organiques et non fonctionnelles ? Des gens qui s'aiment méritent que chacun tienne compte du point de vue de l'autre. Ils méritent également un respect mutuel authentique.

Revenons-en donc au bac à sable. Admettez tous les deux que les divergences nées des tâches domestiques sont irritantes. Ensuite, mettez en route votre sens des proportions. Vous pourriez dire : « Écoute, ça revient sans cesse et l'on se dispute de façon débile. Je t'aime trop pour gaspiller de l'énergie là-dessus. Que pouvons-nous faire ? ». La question étant posée, mais fermement identifiée dans le cadre plus vaste d'une relation d'amour, vous disposez d'un point de départ excellent pour un compromis et une coopération.

Souvenez-vous que votre partenaire a autant de droits que vous à une maison où il se sent à l'aise. Et si vous avez de véritables divergences à ce sujet, il peut être utile de définir certains espaces qui seront propres à chacun. Il faudra vous respecter suffisamment pour attribuer à chacun des droits égaux. Vous en serez récompensés par une ambiance domestique reflétant l'amour qui vous unit.

10

Fuyez le pigeonnier

Par définition, un pigeonnier confine. Si vous êtes un pigeon cherchant un nid, vous y serez en sécurité. Mais si vous êtes un être humain vivant avec un autre être humain, un pigeonnier symbolise un amour qui se racornit dans un isolement croissant. Les gens n'y sont pas à leur aise, et y enfermer quelqu'un peut être douloureux. Des irritations mineures peuvent devenir de graves blocages quand deux partenaires rejettent toute possibilité de changement.

Et c'est assez insidieux, surtout dans le cadre d'une relation qui dure depuis un moment. Vous retracez l'histoire d'une caractéristique ou d'un comportement que l'autre a déjà manifesté, et vous la projetez dans le présent et dans l'avenir. Vous cessez de voir la réalité parce que vos attentes négatives vous aveuglent. Même quand votre partenaire change, vous ne le voyez pas, ou vous refusez de le reconnaître.

Vous pouvez décider de faire mieux pour l'autre. Commencez par vous rappeler que l'évolution est la seule constante de l'existence. Si elle est inévitable, elle peut être orientée dans un sens constructif. Gardez à l'esprit que vivre dans un espace confiné peut réellement compromettre le développement de quelqu'un, physiquement et mentalement. En refusant à l'autre l'espace nécessaire, vous l'affaiblissez. Votre attitude réduit sa capacité à donner de l'amour et à en recevoir.

Quand nous résistons à la tentation du pigeonnier, nous mettons en œuvre quelques-unes des forces positives les plus puissantes qui soient. Nous montrons que nous avons foi dans la bonté intrinsèque de l'autre, que nous croyons à une possibilité de changement positif. Et nous mettons l'amour au service d'une action utile.

11

Attendez-vous à des surprises

Connaître l'autre intimement est l'une des plus grandes joies des rapports humains. Mais ne pensez jamais que vous savez tout ce qu'il y a à savoir. Sinon, vous interpréterez d'un point de vue unique ce que vous découvrez et observez chez votre partenaire. Vous deviendrez insensible aux surprises. Vous fermerez votre esprit à la complexité de l'autre, et vous condamnerez à la stagnation.

Comprenez bien que ce processus est partagé. C'est injuste, pour vous comme pour l'autre, mais pas moins que votre subjectivité ne transforme votre partenaire en cette créature ennuyeuse et stagnante. Et sortir de ce marécage exigera de votre part un peu de natation mentale.

Pour commencer, admettez que votre vision est limitée, même si vous pensez bien connaître votre partenaire. Vous vous êtes créé, face à son caractère et à ses habitudes, une sorte de compréhension sténographique qui vous épargne beaucoup d'introspection. Mais il se pourrait bien qu'au fil du temps, vous ayez cessé d'être clairvoyant.

Il semble difficile d'adopter un point de vue nouveau. Et pourtant, votre partenaire connaît d'autres gens que vous, et vous avez certainement des occasions de les sonder sur l'idée qu'ils se font de lui. Cela pourrait bien vous réserver des surprises.

Passer du temps loin de l'être aimé peut être une bonne solution. À votre retour, prenez soin de l'observer, comme si vous ne l'aviez jamais vu. Ouvrez votre esprit à ces subtiles impressions que vous négligez d'ordinaire. Imaginez que c'est votre première rencontre, et que vous vous faites une première impression.

Passer du temps en couple en compagnie d'autres personnes, peut également dessiller vos paupières. Mettez une dizaine d'amis entre vous et votre partenaire. Observez la personne qu'il est, sans vous, et attendez-vous à des surprises. La vie est pleine de surprises, et les gens aussi. Faites preuve de curiosité, redécouvrez l'être aimé. Vous ne savez pas tout – et il faut vous en féliciter.

12

Accordez le bénéfice du doute

L e doute fait ses ravages quand on est las ou déprimé, débordé, ou qu'on doit affronter une crise quelconque. Comprendre cela réduit son pouvoir de destruction. Et cela peut nous réveiller, changer la manière dont nous vivons. Mais il nous reste encore à faire face au doute lui-même.

Avant tout, il faut éviter comme la peste la méthode du « Ignorons-le et ça finira par disparaître ». Mettre de côté vos sentiments leur donne l'occasion de se renforcer en coulisses. Vos doutes feront de nouveau surface, et ils seront plus maléfiques encore.

Si vous nourrissez des doutes sur votre relation, utilisez-les comme des catalyseurs. Appelez à la rescousse toutes les qualités merveilleuses de votre partenaire, qui rendront insignifiantes ces inquiétudes. Cela peut même vous entraîner à le remercier : « T'ai-je dit à quel point il est important pour moi que tu... ? » Dans un tel contexte, vous pourrez même décider de lui avouer vos doutes – ce qui peut lui permettre de vous rassurer, tout en étant informé de votre état d'esprit.

D'un autre côté, les doutes peuvent signaler certains aspects de votre relation auxquels il faut prendre garde. Il se pourrait que vous vous rendiez compte tout d'un coup combien vous avez accompli peu de choses récemment, en tant que couple, ou que vous avez besoin de vous pencher sur votre situation financière commune. Peut-être le doute vous rend-il sensible aux besoins de votre partenaire, ou bien au fait qu'il est temps de repenser certaines habitudes communes, qui ne sont pas dans l'intérêt de votre amour.

Les doutes vont et viennent. Au lieu de les laisser vous dominer, faites-en un usage constructif contre certains des maux les plus inquiétants de l'existence à deux.

13

Tirez profit de vos différences

Former un couple signifie réunir deux corps séparés, avec des caractères, des choix, des talents et des idéaux différents. Idéalement, cette alliance sert les deux partenaires, et crée un tout plus grand que les parties qui le composent. Mais les différences peuvent conduire à l'intolérance, au désir de reconstruire l'autre pour qu'il vous soit identique. Quand vous tentez de le modeler tel un miroir de vous-même, votre relation est souvent dans une mauvaise passe.

Aussi surprenant que cela puisse paraître, l'intolérance naît parfois d'une perte d'identité. Les psychologues parlent d'« indistinction ». Les frontières se brouillent entre soi et l'autre. Notre partenaire devient une menace personnelle, quand nous ne l'approuvons pas. Paradoxalement, nous le considérons comme un reflet de notre identité.

Vous serez ravis d'apprendre une bonne nouvelle : vous êtes vous, l'autre est quelqu'un d'autre. Permettez à votre partenaire être différent, même quand il vous paraît avoir tort. Cela ne vous amoindrit pas.

Les différences entre vous deux, et les réactions qu'elles provoquent, peuvent vous amener à remettre en question bien des hypothèses sur lesquelles repose votre couple. Peut-être vous sentirez-vous conforté dans votre amour, peut-être découvrirez-vous des possibilités nouvelles vous permettant de bâtir des fondations plus solides. Dans un cas comme dans l'autre, il vous faudra remercier de ces révélations la personne assise en face de vous à la table de la cuisine.

De plus, les différences exigent de la souplesse. Les pratiquants du yoga emploient souvent cette formule : « La jeunesse, c'est avoir l'échine souple. » Tolérer les différences est un exercice d'assouplissement qui donne à votre esprit une jeunesse et une vitalité nouvelles. Au lieu de mépriser celles que vous découvrez chez l'autre, chérissez-les, car elles vous offrent un moyen de progresser.

14

Une chambre à soi

Q ue le corps ait besoin de temps pour se réparer et se reconstruire est un fait biologique. C'est le but du sommeil. Pendant la journée, nous prenons le temps de nous recharger en mangeant et en buvant. Si nous négligeons ces besoins, nous allons « droit dans le mur ». Nos exigences physiques prennent le dessus, et nous sommes contraints de nous arrêter.

Malheureusement, les besoins psychologiques ne sont pas aussi évidents. Pendant de longues périodes, vous pouvez laisser insatisfaits vos besoins affectifs et mentaux, sans jamais analyser le malaise qui en résulte. Peut-être remarquerez-vous que vous vous énervez facilement. Vous pouvez aussi sentir que vous êtes en dessous de vos normes habituelles. Vous en accusez votre partenaire, les autres, les circonstances... Pourtant le remède est en vous et non à l'extérieur.

Des relations amoureuses, des activités stimulantes, savoir que vous avez votre place dans votre communauté, et vous procurer du bon temps – autant de choses qui emplissent une vie gratifiante. Et quand vous vous accordez peu de temps, ou pas du tout, pour réfléchir et vous reposer, vous risquez de perdre de vue ce qui est important. Vous êtes pris par vos obligations, vous êtes trop occupé ; un beau matin, vous vous réveillez avec le désir d'arrêter le monde.

Imaginez l'équivalent psychologique d'un bon repas pris sans vous presser. Vous choisissez le moment, créez le décor. Puis vous nourrissez votre esprit et votre humeur en laissant les choses s'apaiser et en triant vos sentiments et vos pensées. Accordez-vous le plaisir de lire ce livre que vous vouliez tant découvrir. Prenez un bain chaud, faites-vous masser. Allez vous promener, sans être contraint de suivre le rythme de quelqu'un d'autre ou de faire la conversation. Toute forme de ravitaillement est efficace dès lors que c'est vous qui l'aurez choisie.

Prendre le temps de servir votre mental est un don que vous faites à votre partenaire, comme à vous-même. Se l'accorder réciproquement ne peut qu'enrichir votre couple. Il se peut qu'il faille en discuter pour vous assurer que cela ne vient pas d'une distance croissante entre vous. Mais cela vous donne des moyens renouvelés de faire face à l'existence.

15

Perdez la liste des griefs

Il est impossible que des partenaires pour la vie n'éprouvent pas de frustrations et de déceptions vis-à-vis de l'autre. Malheureusement, cette liste de griefs s'allonge sans cesse. Nous prenons note du négatif, nous l'enregistrons mentalement et affectivement ; nous le laissons agir sur nous et notre confiance en l'autre.

Pour perdre cette liste, il faut d'abord définir vos émotions. Il a oublié le lait, il m'a fallu repartir au supermarché en toute hâte. Elle a « rangé » vos papiers, bien que vous lui ayez demandé de n'en rien faire, et voilà que vous ne retrouvez plus ce reçu. Ou bien vous avez eu droit à une vieille plaisanterie à vos dépens alors que vous dîniez chez des amis. Vous vous sentez furieux, blessé, méprisé. Reconnaissez franchement ce que vous éprouvez, et vous ouvrirez la porte à une approche positive des sentiments négatifs, plutôt que de les laisser s'envenimer.

Puis pardonnez à l'autre. Vos sentiments peuvent être justifiés – ou non. Dans les deux cas, si vous les nourrissez intérieurement, vous érigez un mur entre vous et votre partenaire. Peut-être voudrez-vous vous exprimer en disant quelque chose du genre : « Quand tu fais cela, je… » Ou bien vous pourrez choisir de vous taire. Le pardon consiste avant tout à *vous* libérer des sentiments négatifs, et à aimer l'autre au-delà des faiblesses – dont chacun de nous a sa part. Comment voulez-vous que votre partenaire réagisse à vos traits de caractère ou comportements qui ne sont rien moins que parfaits ?

Ensuite, oubliez les rancœurs. Elles sont comme les mauvais rêves. Si vous n'en tenez pas compte, elles perdent de leur emprise, mais si vous les revivez sans arrêt, intérieurement ou dans la conversation, elles prennent une importance disproportionnée. Laissez-les tranquilles. Vous attacher à vos rancœurs interdira toute possibilité de changement.

Enfin, pratiquez l'art d'adopter un point de vue positif. Votre partenaire a très certainement des défauts. Mais ses qualités méritent tout autant d'attention, et même davantage. Il est tout aussi important de reconsidérer votre opinion de certains de ses « défauts ». Ce que nous jugeons négatif chez autrui est souvent l'effet de simples différences. Il peut oublier d'acheter du lait parce que c'est un rêveur, un créateur. Et le monde a besoin de gens comme lui. Elle peut tout ranger pour que la maison soit belle pour vous deux. C'est là une impulsion merveilleuse qui mérite des compromis nécessaires.

En bref, rancœurs et griefs n'ont pas de fin. Mais vous pouvez toujours choisir d'en oublier la liste.

16

Savourez l'instant présent

Inquiétudes pour l'avenir, regrets du passé. Voilà les responsables de nuits sans sommeil et de journées d'anxiété. Plus d'un moment est gâché par de vaines inquiétudes concernant ce qui n'est plus, ou ce qui peut ne jamais arriver.

Il est certain que les souvenirs ont quelque chose à nous apprendre, et nous permettent de revivre des temps heureux, de nous rappeler les gens que nous aimons. Les spéculations sur l'avenir peuvent nous être utiles quand nous réfléchissons à la manière d'avancer dans la direction que nous désirons. Mais quand ces pensées se focalisent sur des événements ou des éventualités que nous ne pouvons contrôler ou changer, nous gaspillons le temps qui nous est donné au lieu de le vivre. Accabler votre partenaire de problèmes passés, d'incertitudes futures, c'est compromettre le présent.

Malgré la nature humaine et la culture moderne, vous pouvez choisir d'être présent et de vivre pleinement chaque instant. Commencez par noter quand votre humeur change, pour devenir irritable ou anxieux. Dressez rapidement l'inventaire de ce que vous aviez en tête juste avant. Pensiez-vous à une décision ou à un événement sur lesquels vous pouvez influer ? Si oui, le pouvez-vous dès maintenant ? Si ce n'est pas le cas, vous sacrifiez le présent. Répertoriez quelles actions vous pouvez entreprendre, puis mettez consciemment les ruminations de côté. Soyez là où vous êtes maintenant.

En compagnie, concentrez-vous calmement sur ceux qui vous entourent. Croisez leur regard quand ils vous adressent la parole. Écoutez plus que vous ne parlez. Souvenez-vous de poser des questions et de prêter attention aux réponses qu'on vous donne. Observez la manière dont les autres interagissent entre eux, prenez note de ce que vous trouvez particulièrement attirant chez chacun d'eux.

Quand vous faites quelque chose – que ce soit laver la voiture, préparer le repas ou jouer au tennis –, concentrez-vous sur une chose à la fois. Pendant ce temps, mettez le reste de côté. Vos pensées seront encore là quand vous en aurez terminé.

De tels exercices peuvent vous aider à mieux vous impliquer dans le présent. Ils vous apprendront à être en un seul endroit à la fois, à vous immerger dans votre tâche. En réalité, ce moment est le seul que vous ayez. Vivez-le comme vous l'entendez.

17

Retrouvez les bancs de l'école

Sur les bancs de l'école, vous avez traversé l'enfance telle une éponge, vous gorgeant d'informations, cultivant des compétences nouvelles. Vous faisiez des erreurs et des expériences. Apprendre à tâtons ne vous surprenait pas et ne vous choquait pas.

En grandissant, le processus d'apprentissage se ralentit, parfois à tel point que l'âge adulte est statique et fixe. Vous vous formez des opinions tranchées, maximisez certaines compétences, fixez des limites bien précises à vos centres d'intérêts. Vous consacrez beaucoup d'énergie à vous protéger de toute erreur possible, à défendre votre point de vue. Ce faisant, vous avez perdu toute curiosité vis-à-vis de vous-même, de votre partenaire, et peut-être de votre vie ; vous avez cessé d'apprendre.

Dans l'existence, votre capacité à penser comme un écolier joue un rôle décisif. La vie est un processus d'apprentissage continu. Votre volonté de l'étudier peut vous empêcher de vous prendre trop au sérieux. Après tout, vous n'avez pas raison en permanence ! Vous avez encore beaucoup à apprendre. Acceptez que votre partenaire puisse vous enseigner quelque chose.

En tant qu'écolier, vous devez persévérer quand vous n'y arrivez pas. À l'âge adulte, nombre d'entre nous sommes profondément déçus quand, se consacrant à une activité, nous ne pouvons la maîtriser sur-le-champ. Et trop souvent, nous renonçons. Admettez qu'il peut falloir des années pour apprendre, faire des progrès, et devenir un « expert » en quoi que ce soit. Le plaisir est dans le voyage qui y mène – même si vous n'y arrivez jamais pour de bon !

Être un écolier vous permet d'apprendre les leçons de l'existence. Les frustrations enseignent la patience, les désagréments guident vers la compassion et la compréhension, les déceptions conduisent vers une sagesse et des perspectives plus profondes. Ce sont des réponses actives, optimistes à ces hauts et ces bas de la vie que tout le monde rencontre.

Redevenez un enfant, au meilleur sens du terme. Cela signifie retrouver un point de vue dynamique sur l'existence, qui accueille avec passion les idées, les compétences, les questions et les possibilités nouvelles. Cela veut dire aller de l'avant face à la nécessité d'apprendre, et ne pas trop vous inquiéter si de temps à autre vous vous écorchez les genoux.

18

Oubliez la boule de cristal

Tout le monde aimerait lire dans l'esprit de son partenaire. Malheureusement, c'est un mythe. Dans une relation intime, quand l'un ou l'autre, ou les deux, y croient, cela provoque une tension redoutable. Si vous voulez être reconnu et compris, il vous faut apprendre à exprimer vos pensées.

Pour beaucoup de gens, s'exprimer n'est qu'un prétexte. Au nom de la franchise, certains deviennent de vraies brutes. D'autres recourent à des méthodes de communication pour manipuler les autres. D'autres encore considèrent l'idée de dire ce qu'ils pensent comme le droit d'imposer des émotions. Ils expriment leurs opinions, leurs tendances agressives, leur paranoïa, aux dépens des autres.

Pratiquez un type de communication qui vous permette de vous faire comprendre sans qu'aussitôt votre partenaire érige ses défenses. Il est rarement profitable de s'extérioriser sans penser à la manière dont vos paroles peuvent être reçues. Songez à vous exprimer de telle sorte que l'autre puisse entendre sans « bruit de fond ». Évitez d'appuyer sur les boutons « question brûlante ». Formulez vos commentaires afin qu'ils ne finissent pas par une avalanche d'accusations. Dans la mesure du possible, abstenez-vous des critiques. De cette manière, vous aurez beaucoup plus de chances d'être entendu et compris que si vous vous livrez à un feu nourri de jugements.

Abusez de « Je sens... », « Je crois... », « Je pense... ». Ainsi, vous aidez votre partenaire à comprendre votre cheminement, et pourquoi vous ressentez le besoin de vous exprimer là-dessus. Si ce que vous cherchez à dire est quelque chose que vous considérez comme un problème, songez auparavant à des solutions possibles. Et surtout, soyez prêts à écouter ensuite.

Nombre des questions pénibles que nous gardons en tête – surtout celles concernant le couple – deviennent bien plus importantes qu'elles ne le devraient, parce que nous les ressassons trop longtemps sans les formuler. Exprimer vos pensées est une occasion supplémentaire d'apaiser votre vie amoureuse.

19

Soyez le meilleur moment
de la journée de l'autre

Considérez ce scénario typique d'une relation. Les deux membres du couple partent chacun de leur côté pour une journée de travail. Le temps qu'ils se retrouvent, ils ont dépensé séparément la plus grosse part de leur énergie. Ils se retrouvent au même endroit avec deux expériences différentes, et la comédie commence.

Ce qui se passe ensuite varie d'un couple à l'autre. Au moment du premier contact avec votre partenaire, vous pouvez ne pas être prêt à entendre le récit des innombrables malheurs de sa journée. Accordez-vous le temps de décompresser – changez de vêtements, asseyez-vous ou buvez un café, allez faire une brève promenade. Le désir de l'autre, ou le vôtre, de respirer un peu avant de renouer des rapports ne constitue en rien une insulte. Il s'agit d'un besoin psychologique qui, s'il est satisfait, vous sera bénéfique à tous les deux.

Quand vous êtes prêts à passer du temps ensemble, veillez à ce que chacun bénéficie de la même attention. Peut-être l'un de vous a-t-il un besoin plus pressant de parler, ou une histoire intéressante à raconter, mais vous avez tous deux traversé une rude journée. Partagez à égalité, dans l'amour et la compréhension.

Si vous partagez sans hâte, le temps passé ensemble peut être consacré aux détails de votre vie commune. Cependant, la fin d'une journée de travail n'est pas le moment idéal pour cela. Les humeurs sont souvent difficiles, chaque exigence prend des proportions démesurées. Déterminez si vous êtes tous deux dans le bon état d'esprit pour faire face à ce qui constitue un travail supplémentaire. Dans le cas contraire, dites simplement : « Quand pourrions-nous en discuter ? » Gardez les questions et les négociations pour des moments où vous aurez plus d'énergie.

Bizarrement, si la journée de votre partenaire a été porteuse de bonnes nouvelles, c'est parfois plus difficile à vivre. La vôtre n'a pas été bonne, peut-être êtes-vous un peu déprimé. Et voilà que l'autre arrive, rayonnant, et vous annonce une augmentation, une idée magnifique, ou la résolution d'un problème. Ne lui gâchez pas son plaisir. Les bonnes nouvelles sont suffisamment rares pour que la mauvaise humeur ne vienne pas les gâcher. Rassemblez tout votre enthousiasme pour sourire, et prenez soin de formuler vos félicitations.

Les individus diffèrent les uns des autres, et les couples aussi. Vous soutenir mutuellement dans vos responsabilités et vos efforts respectifs réclame de l'attention et de la créativité. Vous êtes seuls à savoir ce qui marche pour votre couple. Mettez en place, pour le temps passé en commun, des rituels qui permettent à chacun d'être le meilleur moment de la journée de l'autre.

20

Connaissez vos limites

L e surmenage est l'un des traumatismes les plus répandus de la société moderne. On multiplie les activités, on est assailli d'informations et on s'engage plus que jamais dans des tâches simultanées. Ce surmenage cause de graves dommages à notre capacité d'entretenir de vrais rapports avec les autres, de savourer les menus plaisirs de la vie. Il nous empêche de nous concentrer, et provoque diverses affections. La culture environnante ne nous aide guère à gérer cette situation. En réalité, c'est à vous qu'il revient d'y remédier. Mais il se peut que vous ne sachiez pas quelles sont vos limites, et comment concevoir votre existence en fonction d'elles.

Déterminez les orientations de votre couple. Nombre de vos choix sont mutuels, ou interdépendants, et le surmenage les affecte tous. Quelle direction doit prendre votre vie commune ? Où en êtes-vous par rapport à votre intimité ? Vos activités sont-elles bénéfiques à votre amour ou non ?

Accordez-vous également le temps de réfléchir sur votre propre vie. Avez-vous plus que votre part de mésaventures ou d'anicroches ? Votre esprit bat-il la campagne ? Votre relation est-elle le cadre de trop de tensions ? Qu'avez-vous fait récemment pour combler vos désirs, ou enrichir votre relation intime ?

Il se pourrait que déterminer vos limites soit un projet qui vous prenne toute la vie. Peut-être vous faudra-t-il prendre une sorte de congé sabbatique vis-à-vis de vos obligations, jusqu'à ce que vous vous soyez trouvé, affectivement et mentalement, un endroit tranquille.

21

Ayez l'esprit aventureux

D ans la vie quotidienne d'un couple, il est souvent tentant
de s'en tenir au plus facile. Si vous découvrez un restaurant qui vous plaît, vous y reviendrez. Idem pour un club de
vacances qui vous a laissé de mémorables souvenirs. Si une
activité quelconque vous satisfait à tous deux, vous en faites
une habitude. Vous créez ainsi des rituels et des routines qui
vous délivrent du besoin d'être créatif, et vous vous installez
dans un cadre confortable.

Cette façon de gérer le temps passé ensemble a ses avantages.
Elle vous assure qu'il sera prévisible et cohérent. Elle vous assure
un lieu pour communiquer et vous détendre, vous donne un sentiment de sécurité. Toutefois, ce confort peut aussi avoir ses in-
convénients. Il vous rend aveugle à une perte de vitalité et de
développement. Vos habitudes communes deviennent de plus
en plus similaires, mais vos esprits se séparent. Vos conversations sont de plus en plus superficielles ou tournent en rond, sans
être nourries par des idées neuves ou des expériences excitantes.

Il se pourrait que votre partenaire et vous deviez tenter de
nouvelles aventures. Ce peut être aussi élémentaire que de
changer le parcours de votre promenade, ou d'essayer un
nouveau restaurant. Vous pouvez prendre le train au lieu de
partir en voiture, vous inscrire à des vacances organisées plutôt que de retourner au même endroit, préférer un club de
jazz à un concert de musique classique.

Les expériences nouvelles s'accompagnent de révélations
sur les deux partenaires. Vous pourriez apercevoir un aspect

de l'autre que vous n'aviez jamais remarqué. Les changements extérieurs en exigent d'autres, qui sont intérieurs. Les aventures partagées feront appel à vos ressources, vos compétences, solliciteront votre volonté et votre capacité de coopérer. Vous changerez, et ensemble.

Vous n'avez pas à renoncer à toutes vos routines et vos habitudes. Aucun de vous deux ne sera contraint d'abandonner de vieux amis, ou des lieux qui vous ont donné du plaisir. Assaisonnez simplement ce que vous avez déjà accompli d'épices nouvelles : le défi, l'excitation, l'aventure.

22

Offrez des cadeaux à l'improviste

D ans notre société, la date et la façon de donner en certaines occasions (et quoi !) sont très largement dictés par les impératifs du calendrier. Ce n'est pas forcément mauvais : beaucoup apprécient qu'on leur souhaite leur anniversaire. Mais cette institutionnalisation s'accompagne d'un sentiment d'obligation. Les gens en viennent à attendre certains cadeaux, en particulier de leurs partenaires. Ils trouvent normal de les recevoir, et peuvent se sentir blessés s'il n'en est rien. Si c'est vous qui donnez, dans certains cas, cette nécessité peut même paraître agaçante.

Et pourtant, donner n'est-il pas l'un des moyens les plus agréables et les plus gratifiants de nous rapprocher de ceux que nous aimons ? Bien entendu, il n'est pas question de cesser de le faire à des moments spécialement conçus pour que nos partenaires se sentent exceptionnels. Il ne faut pas non plus que la commercialisation des cadeaux vienne dicter la manière ou le moment de donner.

Si ce geste a perdu de sa signification pour vous, repensez vos habitudes. Pour commencer, consacrez plus de temps et de réflexion à ce que vous faites – et pourquoi. Choisissez donc une occasion que seuls votre partenaire et vous jugez importante, et offrez le cadeau le plus réfléchi de l'année. Ou bien arrivez avec une bouteille de vin parce que c'est vendredi et que vous serez heureux de la partager avec la personne qui vous est la plus chère. Remarquez quand l'autre est abattu ou angoissé, et faites-en un prétexte pour prouver votre amour sous forme tangible.

Songez à substituer temps et efforts à un simple achat. Offrez une boîte enveloppée de papier cadeau et contenant une promesse : « Certificat : pour la décoration de ton bureau ». « Offrons-nous une soirée : tu choisis le lieu et la date. » « Je te dois sept heures de baby-sitting – sans conditions – pendant que tu feras ce que tu voudras. » Choisissez un désir particulier de votre partenaire, et accomplissez-le pour exprimer votre amour.

Ce n'est pas ce que nous faisons qui compte le plus. C'est la raison, et la manière, de le faire. Que votre don ait un sens. Donnez quand l'autre s'y attend le moins. Donnez avec votre cœur.

23

Transformez les différences en compléments

Q uand vous décidez courageusement de vous répartir les corvées domestiques avec votre partenaire, vous découvrez qu'il existe toutes sortes de variations dans les goûts, les talents, les styles et les préférences. Vous pouvez aussi vous rendre compte très vite que vos différences provoquent des conflits. Identifiez celles qui semblent porter tort à votre vie de couple, et réfléchissez un peu avant que cela ne devienne une habitude. Une fois ces comportements et ces attitudes identifiés, n'hésitez pas à en parler. Comprenez pourquoi ils peuvent provoquer des problèmes entre vous.

Supposez par exemple que vous aimez laisser vos chaussures et votre parapluie sur la véranda en rentrant un jour de pluie. Votre partenaire pense par contre qu'il ne doit pas en être question, parce que la véranda donne aux visiteurs une première impression de votre foyer. Qu'est-ce qui est en jeu ? Pour l'autre, une maison attrayante et accueillante. Pour vous, un simple détail qui vous permet de mettre vos affaires à l'abri. Quelle est la solution ? Trouvez les moyens de satisfaire vos goûts respectifs. Définissez sur la véranda un endroit pour vos affaires. Vous atteignez ainsi un objectif commun, et tout le monde est content.

Répartissez les responsabilités, que vous pouvez tous deux accomplir selon vos capacités. Vous pouvez par exemple aimer dépoussiérer à fond quand vous nettoyez la maison. Inversement, supposez que votre partenaire lave les vitres à la perfection. Répartissez-vous les tâches de manière à ce que chacun fasse ce qu'il sait le mieux faire. Si vous reconnaissez les points forts de l'autre, il vous sera plus facile de tolérer ce que vous considérez comme des faiblesses.

Avez-vous des préférences alimentaires différentes ? Servez des plats variés, en petites portions, et veillez à ce que vos goûts respectifs soient satisfaits. Vos idées sur la décoration sont-elles divergentes ? Faites en sorte que, pour telle ou telle pièce, l'un de vous ait le dernier mot, ou apprenez à combiner et à fondre des styles différents. En respectant les différences dans votre couple, vous créez un esprit de compromis et de respect mutuel.

24

Ne faites pas sauter les plombs

De temps à autre, nous sommes confrontés à des circonstances qui nous rendent furieux. Bien entendu, certains mettent plus de temps que d'autres à perdre leur calme. Certains y semblent préparés de nature. Le fait est que nous avons des raisons récurrentes de nous mettre en colère, et des moyens propres de la gérer. Disons-le : être soupe au lait ne rend service à personne.

On peut définir la patience comme un niveau de tolérance, mesuré en fonction du temps et de l'intensité, avant l'explosion de colère. S'il est trop faible, on tend à réagir trop vite.

L'impatience provoque souvent un court-circuit dans la communication avec votre partenaire, et mène à des incompréhensions et des souffrances inutiles. Si vous êtes soupe au lait, il vous revient de gérer plus efficacement votre tempérament.

Comptez jusqu'à dix. En vous contraignant à marquer une pause avant de réagir, vous permettez à votre niveau de tempête intérieure de s'apaiser. Il se peut que vous deviez attendre dix minutes, voire un jour ou deux. À mesure que la fureur d'origine recule, vous aurez l'occasion de retrouver votre équilibre et votre sens des proportions, et vous pourrez réagir de manière rationnelle.

Une fois que vous vous serez apaisé, faites l'effort de vous en tenir à ce dont il était question. Il nous arrive souvent d'aggraver les désaccords en débordant du problème actuel. Une seule chose à la fois ! Cela rend plus gérables les difficultés, et c'est en tout cas beaucoup plus équitable envers celui ou celle avec qui vous traitez.

En réagissant à ce qui provoque votre colère, prenez soin d'écouter autant que de parler. Nombre des irritations qui surviennent dans votre vie ne sont pas aussi claires ou tranchées que votre colère ne vous porte à le croire. En écoutant, vous découvrirez peut-être que votre réaction était beaucoup trop dramatique. Plutôt que de devoir présenter des excuses humiliantes, pourquoi ne pas examiner les faits d'abord ?

Pour finir, ayez un peu de cœur pour la personne qui est l'objet ou le témoin de votre colère. Quelle serait votre réaction si vous étiez à sa place ? Nous réclamons tous le droit d'être traités équitablement, de nous expliquer, d'avoir des opinions, et de nous voir accorder le bénéfice du doute. Traiter les autres comme on aimerait l'être soi-même n'est pas forcément un remède infaillible, mais c'est, presque toujours, un moyen d'avancer dans la bonne direction.

25

Aimez à bras ouverts

Q uand vous tentez de conserver l'amour de quelqu'un en vous accrochant à lui, tout ce qui est hors de votre contrôle nourrit vos craintes d'être rejeté. De plus, un tel comportement est aussi douloureux pour vous que pour l'autre, qui pourrait bien être tenté de s'éloigner.

Aimer à bras ouverts exige de la foi. Il est important de comprendre que l'amour « crampon » provient d'un manque de confiance fondamental envers votre partenaire. Cela revient à proclamer : « Je ne crois pas en la sincérité de ton amour. » Il se peut que vous ayez raison : peut-être l'autre n'est-il pas fiable, ni digne d'être aimé. Toutefois, vous pouvez être sûr d'une chose : quand vous nouez une relation, vous devez décider de faire confiance à l'autre. C'est incontournable, et vous accrocher n'y fera rien.

Dans le pire des cas, aimer à bras ouverts vous permettra d'acquérir un savoir inestimable, bien qu'un peu déprimant, sur la personne que vous aimez. Vous y gagnerez la capacité de décider de votre avenir commun en connaissance de cause. Il est beaucoup plus probable que vous aurez la grande joie de recevoir l'amour librement donné. Vous aurez plus de confiance en votre propre valeur. Vous serez également libéré des doutes et des craintes qui accablent trop souvent les couples.

Plus vous aimez à bras ouverts, plus vous bénéficiez du plaisir d'abandonner ce que vous ne pouvez contrôler. Une main tendue est prête à donner, et à recevoir, ce que la vie offre de mieux.

26

Choyez l'enfant qui est en l'autre

Quel que soit notre âge, il y a toujours un enfant qui sommeille en nous – qui a des curiosités et des craintes, qui désire ardemment qu'on l'aime et qu'on le protège. Cette partie de nous-mêmes peut faire surface à des moments inopportuns, et nous rendre exigeants, mesquins, immatures.

D'un autre côté, cet enfant stimule quelques-unes de nos impulsions les plus agréables et les plus spontanées. Nous cessons d'être sur nos gardes pour savourer le présent, ou connaissons des joies simples, sans mélange. Nous croyons à des possibles, nous nous sentons curieux de la vie, des autres, de nous-mêmes. Cette partie de vous-même peut être étouffée sous des épaisseurs de prudence ou de souffrance. Permettre à l'enfant qui est en vous de s'épanouir est un excellent moyen de bâtir une existence pleine de joie et d'espoir.

Prenez également en compte les besoins « infantiles » de l'être que vous aimez. Lorsque vous admettez que tout le monde, même une fois adulte, a besoin d'être choyé, l'amour que vous avez l'un pour l'autre devient une priorité.

Offrez une épaule sur laquelle pleurer. Autorisez votre partenaire à montrer ses faiblesses. Pour cela, mettez momentanément de côté votre tendance à vouloir régler les problèmes. Il se pourrait aussi qu'il vous faille affronter vos responsabilités. Si vous voulez que l'autre soit en permanence le « pilier », le choyer vous sera difficile. Quand on apprend à témoigner son affection en le prenant dans ses bras, on lui offre l'occasion de ressentir sincèrement ses émotions.

Choyer, c'est aussi encourager. C'est votre rôle de pousser votre partenaire à affronter un défi : accepter un nouvel emploi, apprendre de nouvelles compétences, ou simplement partir à l'aventure. L'autre affrontera cette mise à l'épreuve avec le même mélange d'excitation, de désir et de crainte qu'un enfant qui apprend à rouler à bicyclette. Vous pouvez dire : « Vas-y ! » ou « Je sais que tu peux le faire ! » Choyer veut dire que, quel que soit le résultat, vous êtes toujours là, prêt à encourager de nouveau.

27

Essayez d'autres chaussures

L'intimité, c'est ce lien étroit qui vous permet de connaître un être humain presque aussi bien que vous-même.
L'élément principal de l'acquisition de ce savoir, c'est
d'admettre que l'autre est bien plus que la moitié de votre
couple, et continue à être une personne, aussi proches que
vous le soyez désormais. Cela peut paraître angoissant,
mais aussi revigorant et passionnant, pour peu que vous
fassiez l'effort, de temps à autre, d'enfiler les chaussures
de votre partenaire.

Quand une de ses réactions vous laisse perplexe,
cherchez à comprendre. Peut-être avez-vous l'impression
que, dans la plupart des cas, vous pouvez prédire ses pensées. En vous surprenant, l'autre vous offre l'occasion d'apprendre.

Réclamez des explications claires de son point de vue.
Vous pourriez bien découvrir qu'il a pensé à certaines choses, et pas vous, ou qu'il a une idée à laquelle il vaut la
peine de réfléchir. Une fois qu'il vous aura fait part de son
point de vue, prenez du temps avant de répondre, afin d'ab-
sorber ce qu'il vient de vous dire, et accordez-vous la possibilité de changer d'avis.

Si votre partenaire est nerveux, faites en sorte d'avoir une
conversation sur l'origine de son agitation. Choisissez d'être
un auditeur, plutôt qu'un juge ou un conseiller : posez des
questions, et attendez calmement les réponses plutôt que de
proposer analyses et solutions. Jamais vous ne comprendrez

pleinement ce que l'autre éprouve, comment et pourquoi, à moins de retarder vos interventions pour lui laisser le temps de vous l'expliquer. Et votre partenaire a beaucoup plus de chances de vous faire part de ses problèmes régulièrement, si vous lui empruntez ses chaussures.

28

Vivez la vie dont vous avez toujours rêvé

Souvent les gens renoncent à beaucoup de rêves parce qu'ils les jugent hors d'atteinte. Peut-être négligent-ils de saisir une occasion qui se présente. Ou bien ils acceptent le jugement de quelqu'un d'autre, sans le mettre en question, même quand ils pensent qu'il pourrait être erroné. Peut-être cessent-ils de faire attention, et manquent le moment où ils pourraient prendre une autre direction et améliorer la vie qu'ils mènent. Et, dans de telles situations, ils rendent trop fréquemment leur conjoint responsable.

Le seul moyen de dépasser ce stade est d'admettre que les changements positifs viennent essentiellement, non de l'extérieur, mais de soi-même. La manière dont vous abattez les cartes qui vous ont été distribuées fait toute la différence.

Si vous n'avez pas l'habitude de passer en revue votre existence, commencez dès maintenant. Allez-vous dans la direction que vous souhaitez ? Ressentez-vous un vide qu'il est nécessaire de combler ? Faites le bilan, et faites-le fréquemment.

Tout cela constituera des fondations solides. Savoir quoi bâtir, et comment, est tout aussi important. Permettez-vous de rêver. Vos meilleurs projets seront issus de vos passions – des gens et des activités qui vous illuminent.

À mesure que vous rêvez, vous identifiez des aventures que vous voulez vivre réellement, et vous aurez plus de chances de procéder à des changements positifs. C'est ainsi que, par exemple, il vous serait nécessaire de reprendre des études ;

mais vous repoussez vos projets parce que vous devez vous occuper de votre famille. Une réflexion créative pourrait vous permettre de trouver des compromis et de faire avancer vos plans.

Si vous vous sentez frustré par la vie, les petits problèmes auront un pouvoir de nuisance disproportionné. Inversement, si vous faites des progrès, si minimes soient-ils, dans une direction qui vous passionne, vos désirs deviendront à votre portée.

29

Bâtissez des ponts, pas des murs

Dès qu'un conflit éclate, comme c'est inévitable dans toute relation, des murs se dressent. Car un conflit active nos réflexes d'autoprotection. Personne n'aime se sentir agressé, rejeté ou négligé. Alors, on tente de s'isoler des conséquences inévitables – la froideur, la suspicion ou l'irritabilité.

L'agression est un matériau de choix pour ériger une muraille. Votre partenaire refuse de réagir quand vous vous plaignez ou soulevez une question, si bien que vous l'attaquez afin de mieux vous faire entendre. Ou bien c'est lui qui vous agresse, tandis que vous vous donnez beaucoup de mal pour répliquer de la même façon.

Vous pouvez ériger un autre genre de mur en rationalisant à l'extrême vos accusations ou vos critiques. Plus vous défendez votre position, moins vous restez ouvert au point de vue de votre partenaire. Le mur entre vous deux ne cessera alors de s'élever. Il en va de même si vous choisissez d'ignorer les controverses qui vous opposent. Quelle que soit votre manière de l'édifier, cette barrière dans le processus de communication et de compréhension empêche toute résolution du conflit.

Toute querelle est un bâton de dynamite qui creuse entre vous deux un trou béant. Cet espace sera rempli d'une manière ou d'une autre. Un pont représente un choix plus judicieux. Il relie les deux côtés, contrairement au mur.

Quand, au milieu d'une discussion, vous choisissez d'écouter l'autre, vous commencez à bâtir un pont qui va

Réaffirmez sans cesse la confiance que vous avez en l'autre. Il y a peu de choses plus encourageantes qu'un flot constant de « Je crois en toi. » Un tel message ne peut que favoriser les solutions en cas de problèmes. Au lieu de dire – ou de sous-entendre : « Je ne peux croire que tu puisses faire quelque chose d'aussi lamentable », dites : « Je sais que tu peux faire beaucoup mieux. » Car votre partenaire ne se réduit pas au problème en question.

Mettre l'accent sur les qualités est une habitude qui permet un renforcement positif. Elle nourrit les aspects positifs de l'autre, et de votre relation que vous voulez voir se développer. Il y aura des moments où vous devrez exprimer vos plaintes, affronter et résoudre des problèmes. Mais si ceux-ci apparaissent dans un environnement caractérisé par un soutien et un respect mutuels, vos erreurs ne vous sépareront pas : elles deviendront un pont menant vers l'harmonie.

31

Volez en formation

Quand nous choisissons d'ignorer les exigences du couple pour privilégier nos propres désirs, nous ouvrons la voie à des compétitions et des conflits inutiles. Plutôt que de décider ensemble, et de trouver des solutions acceptables pour les deux partenaires, nous créons des situations conflictuelles qui ne font qu'échauffer les esprits. Le ton monte, votre foyer devient un champ de bataille. Peut-être parviendrez-vous à vos fins, mais à quel prix ?

Votre premier réflexe devrait être la coopération. Dans de telles épreuves frontales, vous pouvez, à travers toutes les étapes du conflit, trouver un intérêt commun. Si vous consentez à oublier vos griefs pour chercher un compromis acceptable par l'autre, cela renforcera le lien qui vous unit.

La nature illustre cela de façon superbe. Les oies du Canada migrent chaque année pour se réfugier sous des climats plus ensoleillés. On les aperçoit voler en V dans le ciel d'automne. Mais nous ne voyons pas tout. Le courant d'air créé par les premiers oiseaux rend le vol plus facile à leurs congénères placés dans leur sillage. Certains se chargent donc de cette lourde tâche tandis que les autres se reposent. Et quand l'oie de tête est lasse, elle se place à l'arrière de la formation tandis qu'une autre, plus reposée, prend le relais. Ce véritable ballet de coopération et de soutien renforce le potentiel de survie du groupe.

Les humains semblent dépourvus de cet instinct. Nous préférons souvent le conflit à la coopération. À nous de trouver la volonté de travailler ensemble. Ce que nous ignorons, nous pouvons l'apprendre par l'exemple et l'expérience. Votre partenaire et vous pouvez voler en formation, quand vous le décidez.

32

Choisissez qui vous êtes

Nous voyons tous nos vies à travers des lunettes fournies par notre éducation, et nos perceptions différentes servent de filtres. Le plus dangereux de ces filtres est la conviction d'être piégé. Vous vous sentez coincé – dans votre relation, dans votre environnement, dans votre travail ou votre condition physique. Une telle attitude inhibe toute motivation et courage.

Certes, certaines circonstances ou relations ne sont pas telles que vous l'auriez espéré. Vous pouvez brusquement devoir vous occuper d'un partenaire désormais infirme. Vous pouvez atteindre un palier infranchissable dans le travail auquel vous avez été formé, sans discerner de perspectives optimistes. Votre environnement familial peut avoir dilapidé toutes vos économies, vous empêchant d'améliorer votre niveau de vie. Dans de telles situations, il est tentant de conclure : « Ça ne peut pas changer, je suis coincé. »

Ce piège naît de sentiments, non de faits. Celui dont le partenaire souffre d'un handicap incurable a le choix de maintenir ou non la relation. Celui ou celle qui n'a plus de débouchés professionnels peut décider de ne pas bouger, de démissionner et d'entamer une vie d'errance, ou bien de commencer une nouvelle carrière. Une famille dont les revenus baissent peut lutter, reconsidérer son mode de vie, ou choisir de renoncer aux dépenses inutiles. Certains de ces choix peuvent paraître extrêmes, mais chaque jour des personnes comme vous et moi y sont confrontés.

C'est par amour que vous maintenez une relation avec quelqu'un dont la santé est détruite, et par conviction que c'est le bon choix. Quand vous l'admettez, votre point de vue change. Vous n'êtes plus prisonnier d'une situation impossible. Vous vivez selon vos principes, vous empruntez un chemin courageux par amour. Vous auriez pu décider autrement. Quand vous acceptez les responsabilités – où vous en êtes, avec qui, de ce que vous faites –, vous vous libérez du piège.

Vivre en fonction de certains choix exige que vous réfléchissiez au pourquoi et au comment de vos décisions. Avez-vous fait des choix que vous pouvez assumer ? Qu'est-ce qui vous paraît important ? Comment comptez-vous avancer ? Ce sont là des questions difficiles. Vos réponses vous ouvriront des perspectives qui peuvent changer l'idée que vous vous faites de votre vie, comme l'expérience que vous en avez.

33

Oubliez de compter

Parfois, et de manière frappante, l'amour ressemble à une compétition. Celle-ci commence dans la bonne humeur, mais au fil du temps, en conjonction avec les agacements et les frustrations banales de la vie quotidienne, elle peut devenir une lutte acharnée. Elle culmine quand l'un des deux finit par dire : « Tu me revaudras ça ! »

En règle générale, il est bon de mettre un terme aux querelles. Et parfois les compromis réclament que les deux aient alternativement le dessus. Mais si ce style de négociation devient la règle, les deux membres d'un couple se retrouveront dans des camps opposés.

C'est là une voie détestable pour une relation amoureuse. En couple, mieux vaut satisfaire les besoins de l'autre avec autant d'enthousiasme que vous satisfaites les vôtres. Ce principe repose sur la compréhension véritable de l'essence d'une équipe.

Pour être efficace, une équipe doit prendre en compte les hauts et les bas de ses deux membres. Lorsque l'un d'eux est vulnérable, fatigué ou stressé, l'autre endosse ses responsabilités. Quand l'un déborde d'énergie et d'imagination, le second soutient cette créativité. Chaque « point marqué » compte pour l'équipe, non pour l'un ou l'autre de ses membres.

En termes pratiques, cela veut dire d'abord prendre le temps de consolider le sentiment que vous poursuivez un but commun. Pour renforcer votre engagement mutuel, vous pouvez recourir à des rituels quotidiens lors des repas, ou même à des coups de téléphone. Des sorties régulières, dont le reste du monde (vos enfants compris) est temporairement exclu, peuvent ranimer l'intimité dont vous avez bien besoin pour vous soutenir réciproquement. Réfléchir régulièrement aux aspects pratiques de votre relation – finances, projets, inquiétudes, plaisirs partagés – peut vous maintenir sur la même longueur d'onde et renforcer la confiance mutuelle nécessaire à une équipe pour fonctionner au mieux.

Il vous faut, par-dessus tout, mettre en valeur les points forts de votre partenaire. Admettez les étapes où vous avez témoigné un certain égoïsme. Mettez cela au service de votre relation : comprenez que vous servez vos propres intérêts en donnant à l'autre de nombreuses occasions de briller – de « gagner ». S'il y a dans votre relation un bilan à dresser, c'est le relevé de tous les moments où vous sollicitez le meilleur de chacun, et formez une équipe victorieuse.

34

Faites le premier pas

V ous allez à une « impasse » quand les deux partenaires affirment simultanément qu'il n'est pas de sa responsabilité de résoudre un problème. Chacun avoue ses réticences à changer, à plier, ou même à lancer une conversation.

« Blocage » est une autre bonne formule. Elle décrit le choc frontal de deux forces égales. On a l'impression d'entrevoir deux cerfs mourant lentement parce que leurs bois se sont emmêlés, et qu'ils sont prisonniers d'une étreinte qui leur rend impossible de se nourrir ou de boire.

Il est étonnant de voir à quel point les gens peuvent s'emprisonner dans leurs propres convictions. Convaincus de leur supériorité morale, ils refusent d'être celui qui dénouera la situation. Agir autrement – c'est-à-dire proposer une solution – serait un signe de faiblesse.

Pourquoi ne pas faire le premier pas ? d'abord pour une raison de caractère. Car sortir d'une impasse exige une certaine humilité. On ne peut s'avancer sans pouvoir dire honnêtement : « Je ne saisis peut-être pas toute l'histoire », ou : « Il se pourrait que j'aie tort. » Même si vous ne voyez pas comment vous pourriez vous être trompé, reconnaître simplement cette possibilité peut avoir un effet apaisant sur l'autre.

Sortir de l'impasse réclame aussi une bonne dose d'empathie. Comme vous, votre partenaire a ses raisons de s'entêter. Mettez-vous à sa place, et réfléchissez à ce que votre intransigeance peut lui inspirer. Prenez le temps d'imaginer pourquoi son opinion est logique à ses propres yeux. Il est impossible de parvenir à une réconciliation sincère si vous ne pouvez reconsidérer le motif de l'affrontement.

Plus important encore, sortir de l'impasse exige de prendre l'initiative, de mettre en œuvre un plan et d'agir. Peut-être avez-vous l'impression de sacrifier vos propres intérêts au passage. En fait, c'est tout le contraire. Quand vous choisissez d'être celui qui ouvre le jeu – de montrer, par l'exemple, que vous souhaitez éviter le blocage –, vous y gagnez votre propre liberté. L'autre peut choisir de ne pas suivre, mais cela devient son problème. Vous êtes désormais libre d'avancer.

La plupart du temps, si vous êtes prêt à adoucir votre position d'une manière ou d'une autre, votre partenaire agira de même. Considérez votre attitude à la lumière de l'amour que vous avez l'un pour l'autre, de votre avenir commun, et vous pourriez bien découvrir que votre problème se dégonfle à vue d'œil.

35

Apprenez à respirer

Les réactions physiques – celles, involontaires, de votre cœur, de vos poumons, de votre système nerveux, de vos glandes – sont souvent les premières à trahir l'effet du stress. Apprendre à les repérer vous aidera à constater qu'il atteint des niveaux particulièrement élevés. Votre rythme cardiaque s'accélère, vous vous mettez à transpirer, une poussée d'adrénaline vous submerge. Vous pouvez aussi observer une éruption d'acné, constater que vos cheveux ternissent, avoir du mal à vous concentrer. Vous pouvez également réagir au quart de tour avec votre partenaire.

Cette prise de conscience est l'occasion de modifier vos réactions naturelles au stress. Vous pouvez ainsi apprendre à vous détendre physiquement. La relaxation peut abaisser la tension, équilibrer la production d'hormones, stimuler celle des endorphines – les protéines qui dans votre système agissent pour apaiser la douleur. Si le stress occupe une place importante dans votre vie, plongez-vous dans des ouvrages sur la relaxation. Mais, même pour un niveau de stress moyen, des pratiques très simples combattront les pressions du moment.

En premier lieu, apprenez à respirer. Une bonne oxygénation a un effet important sur votre capacité à réfléchir, à vous détendre, à maintenir votre équilibre physiologique. La méthode la plus bénéfique consiste à respirer à fond, très lentement. Cela favorise la circulation du sang, soulage la fatigue mentale et physique, et aide votre corps à exécuter ses processus naturels de réparation et de revitalisation.

Asseyez-vous dans un endroit tranquille. Concentrez-vous uniquement sur votre respiration, inspirez très lentement par le nez et, en même temps, poussez l'abdomen en avant. Cela a pour effet d'abaisser votre diaphragme, ce qui à son tour entraîne l'air que vous respirez dans la partie inférieure des poumons. Continuez ainsi, en prenant garde à la manière dont votre estomac et votre torse se soulèvent à mesure que vous vous remplissez les poumons. Quand votre poitrine est totalement dilatée, retenez votre respiration en comptant lentement jusqu'à cinq. Puis commencez lentement à expirer par le nez, en laissant d'abord votre poitrine s'abaisser, puis votre estomac et enfin votre abdomen. Répétez cet exercice cinq fois de suite.

Dans des moments de stress, cette respiration profonde permet de surmonter votre tendance naturelle à vous emballer. Si vous faites de cette technique une habitude régulière – disons cinq à dix minutes chaque jour – vous y gagnerez un moyen de sentir la différence entre ce qu'on éprouve quand on est tendu et quand on est relaxé.

36

Pensez avec votre cœur, sentez avec votre tête

D ans la vie quotidienne des couples, certaines incompréhensions sont monnaie courante. On peut se lancer dans
une longue analyse de ces lacunes afin de les surmonter, mais
soyez capable quelquefois d'admettre que vous ne comprenez pas tout. Il est utile de garder un certain sens des proportions sur les inévitables désaccords, et de à chercher à mieux
connaître votre partenaire.

Les informations concernant le caractère de l'être cher à
notre cœur nous parviennent de bien des sources, et sous des
formes très diverses. Elles constituent le fondement d'un savoir empirique. Pour mieux comprendre l'autre en observant
des faits, permettons à notre raison et à nos sentiments – à
notre tête et à notre cœur – de travailler en tandem. Toutefois,
il arrive que ni l'un ni l'autre ne l'emporte. Dans ce cas, de
petits malentendus peuvent dégénérer en conflits de grande
ampleur.

Considérez par exemple le processus qui se met en branle
lorsqu'une remarque maladroite de votre partenaire vous
heurte. Vous vous sentez blessé, furieux ou trahi. Ce sentiment peut prendre tant d'importance qu'il entrave votre capacité à raisonner. Votre cœur est en pleine surchauffe, mais
votre tête reste inutilisée. Et pourtant, c'est précisément le moment où vous avez besoin de votre cervelle – pour analyser
vos pensées les plus réalistes, les plus constructives et les plus
positives. Avant de maudire l'autre au nom d'émotions com-
plexes, admettez qu'il a peut-être commis une erreur, car il

est humain. Souvenez-vous de ce que son caractère et ses intentions ont de remarquable. Quand votre tête parle ainsi à votre cœur, vous donnez un nouvel éclairage aux propos de votre partenaire. De la sorte, vous serez en mesure de surmonter la blessure.

D'un autre côté, la tête peut aussi prendre les commandes : quand vous êtes perplexe ou confronté à un conflit. Les pensées, à l'instar des sentiments, s'échauffent vite, et provoquent parfois une escalade de malentendus. Enferré par vos doutes et vos craintes, vous cherchez à vous soulager par la vengeance. Ou peut-être avez-vous prononcé un jugement, et condamné votre partenaire avant même de l'avoir entendu ?

Écoutez votre cœur. Si votre esprit arpente les corridors obscurs du doute et du jugement, puisez dans vos réserves d'amour, et laissez vos émotions dicter votre raisonnement. Unissez votre cœur et votre esprit de telle sorte que vos pensées soient plus claires, plus objectives. Au lieu de nourrir les incompréhensions, vous les dépasserez.

37

Visez l'extraordinaire

A près avoir vécu des événements extraordinaires – tomber amoureux, s'engager pour de bon –, certains s'installent dans le ronron de la vie commune. Peut-être est-ce l'exemple parental qui est reproduit. Peut-être est-ce le signe d'un manque d'énergie ou d'imagination. En tout cas, quelle qu'en soit la raison, une fois leur relation « établie », certains ne visent qu'à l'ordinaire, et c'est ce qu'ils obtiennent.

Pourquoi se contenter d'une vie routinière ? Pourquoi ne pas espérer l'inattendu, le remarquable, l'extraordinaire ? Vous avez le droit de profiter merveilleusement de l'instant présent, d'être remarquablement en phase avec l'amour de votre vie ? Imaginez que vos amis et vos voisins disent : « Je n'ai jamais vu de couple qui se parle avec autant de respect » ou "J'envie leur merveilleuse amitié ».

De toute évidence, personne ne peut définir à votre place ce que vous jugez désirable et extraordinaire dans une relation. Seul vous-même et votre partenaire décidez de vos priorités essentielles. Votre rêve peut, par exemple, être de voyager dans le monde entier. L'avez-vous intégré dans les décisions que vous prenez en commun chaque jour ? Si des lieux exotiques correspondent à votre définition de l'extraordinaire, cela constitue-t-il un de vos objectifs ?

Vivre une union extraordinaire peut commencer par la vision et la détermination d'un seul d'entre vous. Fort heureusement, tout le monde ou presque désire secrètement mener une vie hors du commun avec un partenaire qui ne l'est pas moins. Si vous prenez soin d'embellir une relation, de l'extraire de la banalité, votre alter ego sera sensible à vos efforts.

Mais il faut être deux pour persévérer sur cette route exaltante. Après avoir convenu que vous voulez mener une vie de couple extraordinaire, prenez le temps de fantasmer ensemble. Une fois le but fixé, il devient facile de procéder à des changements hors du commun. Certains ont abandonné des emplois lucratifs pour créer des petites entreprises qu'ils peuvent gérer eux-mêmes. D'autres ont quitté le village de leur enfance pour des lieux dont ils rêvaient. D'autres encore ont choisi de s'impliquer dans des organisations caritatives, sur place ou à l'étranger.

Les possibilités sont si nombreuses qu'une bibliothèque entière ne suffirait pas à en explorer la moitié. En ce domaine, les meilleures recherches sont celles que vous menez à deux. Commencez par découvrir quels rêves, quelles occasions, vous touchent le plus profondément, le plus passionnément. Visez mieux qu'une vie ordinaire, et vous aurez bien des chances que vos vœux s'exaucent.

38

Rebellez-vous contre l'inertie

Il est facile d'ignorer les dégradations physiques et mentales engendrées par le temps qui passe. En règle générale, elles apparaissent si lentement que nous ne les remarquons pas, jusqu'à ce que nous constations qu'une tâche facile est devenue une véritable épreuve. De telles dégradations surviennent si nous cessons de nous lancer des défis. L'atrophie s'installe, et s'accompagne d'un douloureux cortège de mécontentement, d'irritation et d'amertume.

Il y a certes des raisons aux baisses de capacité de votre corps et de votre esprit. Parfois, la maladie ou les accidents provoquent d'irréparables dommages. Si vous avez la chance de vivre de longues années, l'âge mûr et la vieillesse succèdent inévitablement à la jeunesse. Mais votre esprit ne se racornira que si vous capitulez devant l'inertie.

Quand avez-vous, pour la dernière fois, sollicité un avis qui contredisait une de vos opinions les plus solides ? Tenir compte d'autres possibilités – en lisant, en assistant à des conférences, en fréquentant des gens très divers – met à l'épreuve vos idées préconçues. Cela vous encourage à les repenser, à envisager d'autres possibilités.

Tentez-vous souvent d'entreprendre de nouvelles activités ? Il serait peut-être aventureux de commencer par le ski, mais si vous essayiez la marche à pied ? Ou preniez part à un concert dominical ? Ou vous inscriviez à des cours de cuisine ? Prendre l'initiative de vous impliquer dans quelque chose de nouveau peut étendre le cercle de vos connaissances.

Prenez-vous la peine de fréquenter des gens d'une autre génération, ou d'un autre milieu, que les vôtres ? Allez-vous dans des endroits où il y a des jeunes et des enfants ? Quand vous n'êtes plus en terrain connu, cherchez-vous à prendre en compte les informations nouvelles ?

Ce combat contre l'inertie élargit l'esprit et renforce le respect que vous avez pour vous-même. Jusqu'à la fin de vos jours, vous pouvez continuer à vous lancer des défis ! L'esprit ouvert par la confrontation d'idées, la réflexion vivifiée par l'intérêt porté aux autres, vous atteindrez la sagesse et la souplesse intérieure.

39

Sachez qui vous êtes

Nous comprenons à l'école que l'éducation est un faisceau de savoirs qu'il faut maîtriser avant la maturité. À la sortie du lycée, il se produit un déplacement subtil. Bien entendu, les leçons à apprendre ne manquent pas selon la direction que nous empruntons. Mais, à mesure que le temps passe, nous découvrons une autre courbe d'apprentissage dont toutes les autres devront s'inspirer, si nous voulons mener une vie qui ait un sens.

Pour certains, cette prise de conscience survient en choisissant une spécialité en fac, un emploi, ou bien une personne avec qui nouer une relation sérieuse. Il existe un nombre sidérant de possibilités, et parfois aucune d'elles ne se détache. Alors on décide un peu au hasard, ou l'on cède à la pression de ses mentors et de ses pairs. Souvent, la question fondamentale n'est pas de savoir si on acquiert les informations et les compétences nécessaires, mais si l'on se connaît soi-même.

Se connaître fournit des bases solides sur lesquelles édifier une vie épanouie. Mais il faut s'y mettre. Il faut oser se soumettre à un examen intérieur, et réviser son comportement si nécessaire. Il faut accepter des leçons pénibles, et se montrer réceptif à l'inattendu.

Donnez-vous le temps d'apprendre à vous connaître. Réservez des moments de calme, pour la réflexion et l'introspection. Vos expériences et vos réactions affectives sont vaines si vous n'y réfléchissez jamais ensuite.

Que la souffrance soit l'un de vos mentors. La souffrance engendrée par la perte, l'échec, la honte et la crainte est le meilleur des indicateurs. Acceptez ses inestimables leçons sur ce qui vous anime, sur ce à quoi et à qui vous tenez, sur les raisons pour lesquelles certains aspects de votre vie ne vous conviennent pas. La souffrance révèle aussi le fossé entre vos désirs et la réalité.

Que la passion soit votre guide. Les lieux, les événements, les gens qui vous inspirent ont quelque chose à vous apprendre. C'est en eux que vous découvrirez vos dons et vos centres d'intérêt. Quand vous obéirez à votre cœur, vous vous trouverez vous-même.

40

Soyez un fan, non un critique

P ersonne ne peut mieux toucher au vif que celui ou celle qui vous connaît le mieux. Sous le poids de ses critiques, vous pouvez vous sentir isolé, incompris, perdre toute confiance en vous, ou devenir votre plus féroce critique. Incontestablement, un tel scénario ne mène pas à une relation heureuse.

Personne ne pourra rivaliser avec vous, si vous décidez d'être le plus grand fan de votre partenaire. Tout comme vous êtes informé de ses faiblesses, vous avez une vision privilégiée de ses qualités. Choisissez de mettre l'accent sur elles, et le message saura se faire entendre.

Soyez honnête dans vos louanges et offrez vos encouragements sans espoir de retour. Si vous espérez quelque chose en échange, cela dépouillera vos paroles de toute crédibilité et de toute utilité. Plus important encore, incluez votre amour dans chaque mot de soutien. De la sorte, vous exprimez le respect, la confiance et la maturité. Vous formulez : « Vas-y et fais de ton mieux. Le pire qui puisse t'arriver, c'est de ne pas réussir, et ce n'est pas grave. »

En ne cessant de critiquer quelqu'un, vous découvrirez qu'il confirme vos prévisions les plus pessimistes. Faites plutôt l'effort de remarquer ses qualités, et votre partenaire et vous en récolterez bientôt tous les bénéfices. Devenez une présence rassurante dans l'univers de l'autre, celle dont nous avons tous besoin dans ce monde trop intolérant.

41

Jugez toujours pour le bien

Formuler des hypothèses sur les gens influence la manière dont vous recevez des informations et y réagissez. Les mêmes faits peuvent vous remplir de joie ou d'inquiétude selon vos préjugés.

Supposez par exemple que votre partenaire rentre un soir à la maison avec un superbe bouquet de fleurs. Peut-être y a-t-il eu beaucoup de tensions entre vous ces derniers temps. Peut-être vous inquiéterez-vous des motivations de l'autre. Se sentirait-il coupable ? Croit-il effacer de la sorte ses récriminations de l'autre soir ? Cela revient à ne considérer que le côté négatif, soupçonner un geste qui peut être parfaitement sincère – et ne plus apprécier la beauté des fleurs.

À vrai dire, malgré vos pensées soupçonneuses quant aux intentions de votre partenaire, *vous ne pouvez pas savoir ce qui se passe en lui*, à moins qu'il ne vous le dise ou que vous disposiez de preuves irréfutables. Se laisser aller à des spéculations négatives ne mène à rien. Si vous aimez les hypothèses, optez pour la plus favorable, jusqu'à preuve du contraire.

Cela peut être difficile si des expériences passées influencent votre point de vue. Dans ce cas, préférez l'expectative. Si votre partenaire fournit des explications dont vous doutez, attendez un moment. D'autres détails surgiront pour corroborer sa sincérité et son honnêteté. S'il a menti, cela aussi fera surface.

La vie est trop courte pour la laisser mener par des préjugés. Si vous vous y abandonnez malgré tout – que signifie tel ou tel acte, que se passe-t-il quand vous n'êtes pas là, qu'en pense tel ou telle ? –, choisissez l'hypothèse la plus favorable. D'un autre côté, si vous préférez décider de vos actions, vos pensées et vos projets à partir des faits, disciplinez votre imagination et chassez les supputations. Cherchez la vérité, ou laissez-la se révéler en son temps. Ce faisant, vous serez plus en paix dans votre existence, et redonnerez de la dignité à votre partenaire.

42

Créez une ambiance de tolérance

Notre siècle se caractérise par une diversité étonnante, causée par la rapidité des transports, l'instantanéité des moyens de communication, et les influences croisées des médias, des arts et du spectacle. Les êtres humains sont de toute allure, de toutes tailles, de toutes couleurs, de toutes cultures. La tolérance est devenue le signe des sociétés civilisées.

Toutefois, elle s'arrête parfois à notre porte. Pourtant, en amour, les partenaires sont modelés par leurs différences d'opinions, de personnalités, de points forts, d'habitudes, d'origine, d'éducation. Cette diversité exige de créer et de maintenir la tolérance au sein de votre couple.

Celle-ci signifie accepter ce qui est important pour votre partenaire, même si vous le ne comprenez pas. Peut-être êtesvous né dans une famille qui n'a cessé de déménager, si bien que vous commencez à vous agiter si vous restez trop longtemps au même endroit. Mais si l'autre a toujours habité dans sa ville natale, l'idée peut lui paraître absurde. Quelle que soit votre manière de négocier à ce sujet, commencez par rappeler la diversité de vos expériences et de vos désirs. Imaginez le plaisir d'avoir des racines, de jouer au bridge avec un ami connu à l'école maternelle ! Inversement, songez au fait de recommencer à zéro avec d'autres gens, d'autres possibilités, d'autres défis.

La tolérance implique aussi que vous acceptiez les certitudes de votre partenaire, même si vous ne les partagez pas. Les convictions ne sont pas anodines. Respecter celles d'autrui, c'est le respecter. Avec le temps, peut-être vous tournerez-vous vers des croyances qui vous soient communes. Vous pourrez être sûr, toutefois, qu'elles ne seront pas nées d'un esprit d'animosité ou de prosélytisme, mais d'un contexte d'amour et d'acceptation.

N'ayant pas grandi au sein de la même culture, vous jugez peut-être certaines pratiques familiales de votre partenaire agaçantes ou intrusives. Mais comment exiger que vos préférences l'emportent, sans vous montrer injuste ? Mêlez vos passés différents et trouvez des compromis qui satisferont tout le monde. Votre priorité doit être l'amour et le respect qu'exige un foyer tolérant.

43

Ne grattez pas vos croûtes

Les blessures émotionnelles ou affectives émaillent l'existence. Estafilades et écorchures abîment les sentiments et les cœurs. Des adultes, engagés dans une relation sentimentale saine, connaîtront sans doute la douleur des affrontements entre volontés, des menues trahisons et des incompréhensions. De telles blessures font mal et prennent du temps pour cicatriser. Et nous sommes toujours tentés de gratter les croûtes, comme quand nous étions enfants.

Il faut toujours nettoyer une blessure. Si vous êtes blessé après avoir eu un problème dans votre relation, sachez y faire face et prévenez votre partenaire. Inutile de provoquer un affrontement. Il suffit de dire : « Quand cela s'est produit, j'ai ressenti telle ou telle chose, et j'ai du mal à le surmonter. » Si tout se passe bien, vous vous exprimez, versez quelques larmes ensemble, et pardonnez.

Le pardon est le premier pas. Ensuite, que vous décidiez ou non d'oublier l'origine de la blessure, vous devez lui laisser le temps de guérir. Si elle ne disparaît pas – telle une croûte que vous ne cessez de gratter –, c'est que vous n'avez pas pardonné. Et la blessure saignera tant que vous la gratterez. Pardonner à la personne qui vous a blessé vous libère et favorise votre guérison.

Une relation amoureuse implique inévitablement des désaccords, des affrontements, des peines. Ce qui s'est déjà produit risque de se reproduire. Une dispute peut réveiller une vieille blessure. Vous pourrez très bien être guéri, et ne jamais y penser ou presque. Mais les souvenirs et les sentiments refont surface malgré tout. Pour éviter l'escalade, respectez les règles suivantes.

Tenez-vous en à l'affrontement en cours. Quand vous discutez de problèmes nouveaux, résistez à la tentation de gratter vos vieilles blessures.

Une fois de plus, exprimez votre souffrance, guérissez-la et pardonnez.

44

Ah, ah, ah !

F ace au stress de l'existence, le rire allège le fardeau imposé à votre psyché. Il vous aide à ne pas prendre les choses trop au sérieux, et à fuir l'angoisse. Quand vous souriez, votre chimie corporelle réagit, chasse le cafard et apaise l'anxiété. Le rire est tout aussi essentiel. Sur le point de jeter un vase à la tête de l'autre ou de fondre en larmes, vous vous rendez compte à quel point cette querelle est ridicule, et voilà que vous gloussez.

Bien entendu, le rire peut être cruel ou destructeur. Une bonne vieille plaisanterie n'anéantit pas l'estime de soi ou la dignité d'autrui. Préservez le bonheur du rire, et votre vie deviendra plus gaie.

Riez d'abord de vous-même. Il y a beaucoup d'élégance chez celui qui le fait.

Évitez de vous moquer des autres. Pour faire rire, cela exige de toucher au vif. La personne que vous visez peut le prendre bien ou pas, mais c'est là un risque inutile. On peut trop facilement toucher un nerf sensible et causer de la souffrance.

Partagez toujours la plaisanterie. Un rire inexpliqué peut être tout à fait déconcertant. Si quelque chose vous amuse, et que vous préférez le garder pour vous, analysez vos motivations. Vous utilisez l'humour comme une arme, ou vous nourrissez une attitude négative ? Dans ces conditions, le rire n'est pas un bon remède.

Qu'il exprime les joies et les plaisirs les plus profonds qu'inspire votre partenaire. Un grand sourire, pendant un bon moment passé ensemble, est plus précieux que de multiples serments et donne sa vraie valeur à l'amour que vous partagez.

45

Adoptez l'art
de la retraite stratégique

Nous traversons tous des moments où nous avons soif de calme et de solitude. Nous pouvons préférer nous réveiller lentement, avec nos propres pensées. Nous pouvons avoir besoin d'une demi-heure de décompression de retour du travail, ou après nous être occupés des enfants, avant d'être prêts à parler à qui que ce soit. Ou bien, face à un problème, il nous faut du temps pour nous apaiser et y réfléchir. Quand on vit seul, ce temps et cet espace nous sont accordés gratuitement. C'est moins facile en couple.

Les petits désaccords peuvent enfler, jusqu'à devenir des crises majeures, quand l'un des deux partenaires du couple souffre d'un manque d'espace affectif. Des signaux muets vous en informeront. Dans de tels cas, la solitude est une option qui peut vous épargner bien des tourments inutiles. Toutefois, et pour être juste envers l'un et l'autre, efforcez-vous de manifester ce besoin de solitude autrement qu'en vous enfermant dans le silence en en faisant la tête.

C'est là un sujet qu'il faut aborder avant qu'il ne constitue un problème. Les gens ont des besoins très divers, et si un partenaire très sociable peut se montrer bavard, un autre plus solitaire paraît pénible. Une fois la porte ouverte à la discussion, convenez des moyens de communication quand la retraite s'impose. Ce n'est pas compliqué d'expliquer : « J'ai vraiment besoin d'espace en ce moment. Parlons-en », ou « Il me faut de la solitude actuellement. Il n'y a pas de quoi s'inquiéter. » En convenant que ce besoin est légitime, en décidant de la manière de l'annoncer, vous fournissez un atout d'exception à votre couple, et un immense témoignage de respect à votre partenaire.

46

Prêtez main-forte une fois par jour

Dans une relation intime, on négocie constamment. Dans quelle mesure chacun contribue-t-il aux dépenses communes ? Qui conduit la voiture neuve ? Qui choisit le restaurant si vous sortez ? Ces pourparlers expriment et nourrissent l'amour mutuel, dans la recherche d'un équilibre juste et satisfaisant pour chacun.

Lors d'une négociation, vous veillez à l'égalité. Il s'agit de conclure un accord, de régler les détails d'un contrat, comme en affaires. À bien des égards, on pourrait dire que la vie commune s'apparente assez à la diplomatie. Mais l'intensité affective d'un couple réclame bien davantage.

Si votre entente ne repose que sur des obligations, cela laisse trop de place au doute et au mécontentement. Car vous ne semblez pas soucieux d'en faire plus. Quand un tel état d'esprit existe entre amants, il inflige mille petites blessures imperceptibles – mais qui s'additionnent avec le temps.

En allant au-delà de ce qui est convenu ou attendu dans le cadre de vos accords, vous proclamez votre amour. Cela suppose d'accomplir une corvée qui revient d'ordinaire à votre partenaire, mettre un peu d'ordre dans son fouillis, offrir un bouquet de fleurs sans raison officielle, ou vous procurer des billets pour un spectacle qui plaît particulièrement à l'autre.

Quand vous exprimez votre affection, ne dites pas simplement : « Je t'aime », mais ajoutez : « Merci de m'aimer ».

47

Devenez le partenaire idéal

Au siècle dernier, les physiciens avancèrent une idée surprenante, plus tard résumée par le principe d'incertitude d'Heisenberg, qui peut s'énoncer ainsi : « comme nous vivons dans un univers d'interactions, nous ne pouvons étudier ou observer la moindre partie de cet univers en la considérant séparée du reste ou de nous-mêmes ». Par une simple observation, nous modifions l'objet de notre étude, précisément parce que nous l'étudions.

Dans le cadre des relations humaines, nous prenons parfois l'habitude de considérer les autres, et nous-mêmes, comme des entités immuables. Par moments, une telle attitude est salvatrice. Les traits de caractère désagréables, ou les habitudes qui pourraient nous offusquer sont attribués à « la manière d'être de quelqu'un » : nous haussons les épaules et passons à autre chose.

Mais quand l'effet cumulé de toutes ces agressions débouche sur un malaise durable, une image figée de la personne avec qui vous vivez, vos relations deviennent problématiques. Vous en venez à penser que votre bonheur nécessite un changement de partenaire.

Pourtant, si l'autre refuse de bouger, cela ne signifie pas que vous devez suivre son exemple. Réfléchissez au principe d'Heisenberg. Selon lui, une part de vos observations est directement dépendante de vous. Si vous changez d'attitude, l'univers qui vous entoure changera aussi – votre partenaire compris.

Décidez d'être la personne – et le partenaire – dont vous rêvez. Si votre malaise demeure vague, déterminez ce que vous attendez de votre relation. Ne renoncez pas avant cela.

À vous de jouer. Adoptez une nouvelle manière de penser ou d'agir qui vous rapprochera de votre idéal, du partenaire que vous voudriez avoir. Mettez-la en œuvre chaque jour, délibérément, jusqu'à ce qu'elle devienne la norme. Ensuite, incorporez un autre changement, et ainsi de suite.

Assumer la responsabilité de votre propre bonheur vous vaudra une satisfaction et un pouvoir inestimables. De surcroît, le principe d'incertitude d'Heisenberg s'applique dans les deux sens. L'autre change son comportement face à une personne nouvelle. Quand vous changez, votre relation aussi. En vous transformant en votre idéal, vous gagnez à tous les coups.

48

Trouvez des raisons de dire merci

Q uand on aime, on désire que l'élu de son cœur s'épanouisse dans l'amour et savoure la paix qui accompagne ce sentiment. On souhaite également se savoir apprécié, pris en compte et compris. On aime entendre « s'il te plaît » au début d'une requête, « merci » après une gentillesse. Une telle courtoisie transmet un message clair : vous accordez beaucoup d'importance à l'autre. Elle démontre votre attention et votre respect.

Examinez vos habitudes quotidiennes et procédez à des ajustements, si nécessaire. Pour commencez, n'oubliez pas les formules de politesse. Il est tout aussi facile d'être détendu en disant « s'il te plaît » et « merci » que lorsqu'on s'en abstient. La vie commune nécessite de garder à l'esprit en permanence que cohabitent deux êtres constitués de sensibilités et d'exigences. Et songer à l'autre, c'est aussi apporter, de manière réfléchie, la preuve que vous l'aimez.

Des personnes d'origines et d'éducations différentes peuvent interpréter la courtoisie selon des nuances diverses. Respecter votre partenaire, c'est aussi apprendre à respecter les principes d'éducation qui sont importants pour lui. Vous pouvez certes pratiquer les bonnes manières que vous avez apprises, mais élargissez vos horizons pour y inclure aussi celles de l'autre.

Plus important encore, cherchez des occasions de lui témoigner votre courtoisie. Remarquez ses attentions, grandes ou petites, la façon dont il prend garde à vos sentiments et vos préoccupations, comment il en fait état, la façon dont il vous remercie. Peu importe que cela fasse partie intégrante ou non du contrat que vous avez négocié ensemble. En lui-même, le choix d'être fidèle à un accord mérite des remerciements.

49

Pliez quand le vent souffle

L es conflits au sein d'un couple ressemblent au vent qui arrive sans prévenir et souffle plus ou moins fort. Pour que votre union s'épanouisse en dépit des querelles qui déboulent comme une pénible bourrasque, il vous faudra apprendre à plier sous le vent, comme les arbres.

Que veut dire « plier » ? Certainement pas maintenir la paix à tout prix. Il existe des conflits dans lesquels l'estime de soi, le sentiment de justice ou l'intégrité personnelle exigent une vive réaction. Plier ne signifie pas non plus « par-dessus tout ». Une attitude condescendante envers votre partenaire fait peu de cas de sa souffrance et rend pratiquement impossible toute communication. Et plier ne veut pas dire fuir. Il peut paraître tentant de faire profil bas pour esquiver un problème mais, la prochaine fois que souffleront les vents du conflit, ils se seront rassemblés en ouragan.

Plier, c'est laisser la première bourrasque s'apaiser avant de réagir. Vous sentant attaqué, vous pouvez être tenté de répliquer sur le même ton, afin de vous défendre, ou bien vous enfuir. C'est là un instinct bien naturel. Dans le cadre d'une relation intime, toutefois, ce réflexe sert rarement nos intérêts, car s'il peut mettre un terme au conflit, c'est aux dépens de la communication.

Plier, c'est laisser le temps à vos émotions de s'apaiser après que la bourrasque a pris fin. Imaginez un arbre sous la tempête. Il penche d'un côté pour ne pas se rompre puis bascule dans la direction opposée. Ce n'est que lorsqu'il a repris son immobilité qu'il revient à sa position naturelle.

Plus important encore, plier, c'est rester délibérément dans la situation d'une relation qui vous tient à cœur. Confronté aux critiques ou aux humeurs de votre partenaire, il peut sembler difficile de reconnaître que vous l'aimez. Mais si vous prenez la peine de l'observer dans des moments plus calmes, de remarquer ce que l'autre a d'adorable, d'ancrer cette image positive, vous aurez pour les moments pénibles des ressources qui vous aideront à surmonter votre réflexe de défense naturelle.

50

Savourez chaque bouchée

Trop souvent, on ne remarque ni n'apprécie assez les moments privilégiés, ou les petits plaisirs de la vie. On entasse autant d'obligations que possible dans chaque journée, puis on se demande pourquoi elle a été si dure. À foncer tout droit à travers l'existence, on manque toutes les pancartes qui pourraient indiquer d'autres horizons.

Quand les boulimiques consultent pour perdre du poids, ils s'entendent souvent répondre de veiller à leurs habitudes alimentaires. Est-ce qu'ils se goinfrent devant la porte grande ouverte du frigo ? Est-ce qu'ils grignotent en préparant le repas ? Les experts expliquent que manger trop vite, ou regarder la télévision en mangeant, les prive de la sensation de satisfaction que procure la nourriture, si bien que leur faim ne s'apaise pas.

Chaque jour de votre vie vous invite à un repas fabuleux. La nourriture proprement dite en constituera une part, mais elle peut aussi être intellectuelle, affective ou relationnelle. En fin de journée, votre sentiment de satiété dépendra moins de la manière dont vous aurez décidé de la remplir, que de la façon dont vous l'aurez savourée.

Les nutritionnistes conseillent de composer chaque repas en fonction de son équilibre nutritionnel, mais aussi de son attrait. Manger cesse d'être un acte frénétique – un remède à l'ennui, à la dépression, à l'angoisse – pour nourrir à la fois le corps et l'esprit.

C'est là une formule sans égal. Commencez par planifier ce que sera votre journée. Votre bien-être physique réclame de l'attention. Votre carrière a des exigences spécifiques. Votre partenaire demande des égards particuliers, comme vos enfants, vos animaux domestiques, ou toute autre responsabilité que vous avez acceptée. Mais presque toutes les journées comportent du temps libre. Réfléchissez à ce qui peut équilibrer activité et réflexion, travail et détente,

responsabilité et ressourcement. Une journée exempte de ce qui vous permettra de recharger votre esprit est un jour de famine.

Pendant que vous vivez, songez à la manière dont vous vous y prenez. Si vous avez à travailler dur, ne faites que cela sur le moment. Calculez combien vous en ferez à cette occasion, de façon à en avoir presque terminé quand vous vous arrêterez, même si c'est une petite part d'un vaste projet. Puis prenez du recul.

Réfléchir ainsi sur chaque partie de votre vie quotidienne la transformera. Quand vous prenez le temps de planifier, d'être complètement immergé dans ce que vous faites, puis de savourer le résultat de vos actes, vous y gagnez des aspects qui vous aideront à mener une vie non seulement bien remplie, mais aussi pleinement satisfaisante.

51

Ne capturez pas de prisonniers

On dit parfois : « Tous les moyens sont bons ». Malheureusement, si vous menez votre vie de couple selon ce principe, l'amour se transforme souvent en guerre. Rien ne sert mieux une relation amoureuse qu'un souci d'équité.

Qu'est-ce que cela signifie ? L'équité s'appuie sur une compréhension commune. Vous devez décréter d'une même voix, sur des sujets très divers : « c'est bien, ça ne l'est pas ». S'agissant d'une relation sentimentale, cela inclut la fidélité, la sincérité, la manière dont on aborde les désaccords, dont on inclut les membres de la famille ou les anciens partenaires de l'un ou de l'autre, dont on partage les tâches domestiques : ces questions exigent réflexion. Elles s'appuient sur un ensemble de normes adoptées d'un commun accord et qui définissent l'équité – en général, et pour votre couple en particulier.

Si une question délicate qui n'a jamais été abordée se présente au sein du couple, elle peut éveiller des tensions. Dans ce cas, la première chose à faire est de discuter des règles et des principes de chacun. Si vous n'avez jamais pris garde aux « règles » de votre union, c'est l'occasion de commencer.

Partant du principe que vous comprenez mutuellement ces règles, ajoutez-y ceci : il est interdit d'en changer au beau milieu de la partie. Si vous pensez qu'un principe doit être réexaminé, veillez à ce que soit de concert. Pour qu'un accord soit modifié, il faut que les deux parties soient impliquées – et satisfaites !

Dans toutes les relations émergent des questions sans réponses tranchées, même dans le cadre d'une entente explicite. Quand un événement ambigu survient, réfléchissez-y ensemble et évitez les coups fourrés. À la recherche d'une solution, vous voulez que l'autre se conforme à vos désirs. Vous en faites part devant des amis, empêchant votre partenaire de manifester son désaccord. C'est là un petit chantage qui sapera très vite la qualité de votre relation. Et surtout, ne faites pas de prisonniers : il est injuste de prendre enfants, parents et amis en otages, rien que pour satisfaire vos désirs.

Tout cela peut se réduire à une formule : que votre union soit toujours en progrès. De cette manière, vous élaborerez des fondations solides sur lesquelles bâtir.

52

Partagez les corvées

Maintenir un foyer en bon état de fonctionnement exige une gestion parfaite, en toute coopération. Mais le stress est quand même là et il peut être difficile de garder le sens des proportions si le désordre vous accueille chaque fois que vous rentrez à la maison. Une touche de fantaisie a le pouvoir de maintenir à leur place ces petits problèmes.

Lorsque les couples se partagent les tâches domestiques, au début de leur vie commune, ils décident de « qui fera quoi » en s'inspirant de l'exemple de leurs parents, ou selon les préférences ou les aversions de chacun. Mais de telles décisions ne sont pas immuables. Les préférences changent, les aversions s'étendent, et le modèle parental ne convient pas toujours à la vie actuelle : c'était une autre époque, avec des personnalités et un style de vie différents. Le stress montre alors le bout de son nez.

Ne négligeons pas ce besoin très humain de variété et de renouvellement. Les corvées domestiques peuvent être remarquablement peu gratifiantes. Les vêtements sont à peine lavés qu'il faut recommencer. Le lendemain même d'une journée de nettoyage, tout semble de nouveau poussiéreux. Et l'évier déborde d'assiettes sales sans discontinuer.

Échanger périodiquement les corvées domestiques est une technique très simple, dotée d'un effet remarquablement positif. Cela fait disparaître l'ennui, permet de contempler ces tâches d'un œil neuf, et donne à chacun une meilleure idée de ce que fait l'autre. Vous pourrez aussi y trouver une énergie nouvelle, si de temps en temps vous transformez une corvée en travail d'équipe. Non seulement cela divise le travail par deux, mais de surcroît vous y gagnez le plaisir d'être ensemble.

Plus revigorant – et plus aimant – encore, songez à vous accorder mutuellement des congés périodiques. L'un de vous accepte de se charger de tout pendant une semaine. Ou bien vous pouvez décider ensemble que telle ou telle tâche sera négligée pendant un petit moment. Mieux encore, si vos ressources le permettent, embauchez quelqu'un pour cela.

Quelles que soient les solutions adoptées, ne rajoutez pas de stress à la corvée déjà pénible des tâches domestiques. Une assiette sale ne vaut jamais la peine d'une dispute.

53

Prenez des vacances

P rendre du temps en solo peut avoir un effet tonique face aux petites tracasseries de l'existence. Travailler séparément, à des activités ou dans des entreprises différentes, constitue un bon remède à la routine. Comme la reprise d'études, ou un travail bénévole accompli. Mais parfois, il faut un départ véritable, loin de votre partenaire, pendant lequel vous n'obéirez qu'à un mot d'ordre : vous ressourcer.

Vous pouvez passer une journée, ou une semaine, dans une ville voisine que vous aimez. Ou bien séjourner chez un parent ou un ami qui habite loin, et savourer le plaisir de le rencontrer en tête à tête. Peut-être pourriez-vous entreprendre un voyage d'études qui vous redonnerait un peu d'enthousiasme pour votre travail. Ou encore effectuer une retraite, vous concentrer sur votre vie spirituelle et reprendre contact avec votre âme.

Ces intermèdes en solo renferment la remarquable capacité de mettre en perspective divers aspects de la vie commune. Sans incursions périodiques à l'extérieur, la vie de couple peut être un peu étouffante. Il n'est pas étonnant que vous réagissiez parfois avec excès, ou ressentiez des tensions sans raison aucune. Intéressez-vous à un éventail plus vaste de gens, d'expériences et de préoccupations, et vous vous redécouvrirez vous-même, tout en constatant que votre relation n'est qu'une petite partie d'une large réalité.

Bien entendu, la séparation s'accompagne d'un autre bénéfice : les retrouvailles. Revoir la personne que vous aimez peut vous rappeler celle que vous avez rencontrée, dont vous êtes tombé amoureux. Cela rappelle à votre attention des caractéristiques et des particularités que d'ordinaire vous ne voyez plus. Et aussi renouveler votre plaisir d'avoir quelqu'un avec qui partager l'amour et la vie.

Vous avez besoin de recharger vos batteries de temps en temps ; votre partenaire aussi. Offrez-lui la possibilité de faire une pause, comme vous. Vous respecterez ainsi son individualité, vous vous ferez une idée neuve de votre foyer en son absence, et aurez l'occasion de procurer à votre couple une véritable bouffée d'air frais.

54

Changez de décor

Quand les peintres impressionnistes firent leur apparition, dans la seconde moitié du XIXe siècle, ils étonnèrent la communauté artistique en utilisant la couleur de manière inédite. Leur méthode reposait sur un regard neuf. Quand ils étudiaient leurs sujets, ils s'intéressaient moins aux objets qu'aux effets que la lumière et l'ambiance avaient sur eux. Leur modèle se modifiait à chaque rayon de lumière

Une relation intime implique beaucoup d'ordinaire et de convenu. Vous en venez à considérer votre partenaire, et vous-même, en des termes et dans des contextes statiques. À bien des égards, cette intimité qui vous unit, et les conventions qui l'accompagnent donnent force et sécurité à votre couple. Mais vous pouvez devenir liés à ce que vous considérez comme la réalité objective – l'idée que vous vous faites de vos identités respectives, les préoccupations communes, les projets d'avenir – à un point tel que vous négligez toute possibilité d'évoluer. Vous oubliez les petits problèmes et, quand ils surgissent, vous n'avez plus les moyens d'en trouver les solutions.

Un nouveau point de vue sur une relation familière exige parfois un changement de perspective au sens littéral. Considérez votre amour sous un autre angle. Les couples s'enlisent souvent dans la routine et les urgences de la vie quotidienne, au point qu'ils ne peuvent plus changer de perspective. Après tout, continuer sur leur lancée nécessite moins de temps et d'efforts.

Réfléchissez à votre vie de couple. Quand, pour la dernière fois, avez-vous prévu des vacances demandant de l'imagination et des recherches ? Quand vous êtes-vous mis au défi en visitant des lieux inconnus ? On ne saurait trop souligner le potentiel d'une destination originale. Pas besoin qu'elle soit exotique ou lointaine. Vous retrouver à deux dans un cadre déroutant bouscule les idées toutes faites, vous libère, et vous offre un point de vue nouveau sur votre relation.

La vie commune exige une injection régulière d'idées nouvelles si on veut qu'elle échappe à la banalité. Quand, de temps en temps, vous adoptez une autre perspective, vous ranimez la passion que vous avez pour l'existence, et l'un pour l'autre. Ensemble, vous transformerez le quotidien.

Donnez plus que nécessaire

Vivre ensemble nécessite des négociations. Mais parfois, la vie commune s'embourbe dans les habitudes. Le partage équitable des tâches devient une feuille de match, un échange de point de vue se transforme en donnant-donnant. À mesure que les années passent, vous percevez davantage les sujets de mécontentement que les satisfactions. Car la routine tue cette élégance qui enrichit l'amour et élargit l'esprit.

Vous arrive-t-il souvent de donner sans contrepartie ? De donner plus que nécessaire ? Cela implique des efforts. Mais en agissant ainsi, vous vous découvrez des ressources insoupçonnées – et plus surprenant encore, que votre capacité d'offrir ne fait que croître.

Parfois il est bon de donner, simplement parce qu'on le peut, par gratitude mutuelle. Il est si triste de se réveiller seul un matin, en regrettant ce qu'on n'a jamais dit ou fait quand il en était encore temps. Aujourd'hui constitue une opportunité qui ne se présentera plus.

Quand vous donnez – du temps, des tâches, des activités, des cadeaux, des mots aimables –, que le don soit votre récompense. Personne ne vous décevra, car vous ne demandez rien en retour.

Souvenez-vous que donner est le langage de l'amour. Partager l'existence avec votre partenaire constitue un privilège. Votre couple est un cadeau précieux. En donnant, vous exprimez votre amour et le vivifiez.

56

Bannissez les croque-mitaines

V os craintes intimes ressemblent fort aux croque-mitaines dont vous aviez si peur étant enfant – plus d'ombre que de substance, ce qui les rend d'autant plus effrayantes. Si vous ne prenez pas de mesures pour les combattre, elles vous rendront des visites fréquentes, voire s'installeront à demeure dans votre vie et votre amour.

Avez-vous peur des dettes que vous et votre partenaire avez contractées ? Vous inquiétez-vous de la santé de vos parents, de la vôtre pour vos vieux jours ? Craignez-vous qu'on ne dévoile votre médiocrité dans un domaine ou dans un autre ? Il existe autant de craintes, justifiées ou non, que de personnes, mais les traîner avec vous comme un pesant sac à dos ne peut que causer votre malheur.

Afin de pouvoir lutter de manière constructive contre votre appréhension, il vous faut la reconnaître, et lui donner un nom. Dans le cas de vos dettes, craignez-vous de tout perdre, d'être chassé de chez vous par les créanciers ? Avez-vous peur qu'elles révèlent votre prodigalité ou celle de votre partenaire ? Peut-être redoutez-vous que les autres découvrent que vous n'avez aucune notion d'économie domestique. Donner son vrai nom à une peur est un pas essentiel.

Une fois que vous aurez regardé votre croque-mitaine droit dans les yeux, la bataille commencera. Dans certains cas, surtout quand vos peurs reposent sur des bases concrètes, il faut imaginer les scénarios possibles et rassembler des informations complémentaires. Que mentionne la loi sur l'endettement ? Pouvez-vous entreprendre une action afin de regrouper vos crédits ? Supposez que vos amis apprennent votre situation. D'après vous, qu'en penseront-ils ? Que feront-ils ? Vous souciez-vous vraiment de ceux qui vous jugeraient là-dessus ?

Certaines peurs n'ont pas de réponse. Votre père souffre d'une maladie qui, dans certains cas, est héréditaire. Vous redoutez de la contracter plus tard. Peut-être des informations plus précises, des analyses, permettront-elles de dissiper vos craintes. Il peut être utile d'envisager de faire face à une infirmité possible. Ou bien, il faut admettre votre ignorance de l'avenir, et choisir de vivre pleinement le présent.

Chaque vie humaine foisonne de possibilités sources d'angoisse. Nous pouvons rester prisonniers de ces craintes, ou les affronter et profiter pleinement de chaque jour qui s'offre à nous.

Devenez votre meilleur ami

À long terme, si vous voulez que la mesquinerie et les bles-sures ne rongent pas votre couple, votre amour-propre doit trouver ses racines à l'intérieur de vous-même. Vous pou-vez avoir des amis et des parents qui vous soutiennent, votre partenaire peut être un miracle de solidité. Il y a une chance sur un million pour que ce soit le cas – et même ainsi, il y aura des moments où votre fan-club sera indisponible ou ne verra pas votre détresse. De plus, certaines décisions vous vaudront peu de louanges. À vous d'agir tout en sachant que le soutien vous manquera. Pour défendre votre propre inté-grité, vous devrez être votre meilleur ami.

Pour bien des gens, c'est là un des plus grands défis de l'existence. Depuis notre enfance, on nous encourage à nous fier aux bulletins scolaires, aux rites de passage, aux récom-penses au mérite, aux promotions : tout cela nous dicte notre confiance en nous. Nous scrutons notre entourage tel un mi-roir, car nous lisons une norme dans leurs réactions. Il faut rassembler beaucoup de courage pour aller au-delà de cette dépendance et parvenir à l'autonomie.

Pour commencer, accordez-vous un peu d'indulgence. Vous avez un travail en cours. Même au mieux de votre forme, vous commettez des erreurs, agissez trop tôt ou trop tard, ou pas du tout. Vous êtes imparfait – comme tout le monde.

Ayant reconnu vos limites, faites de même pour vos méri-tes. Car vos imperfections n'annulent pas vos qualités intrinsèques, ou le travail que vous accomplissez. Des efforts dignes d'éloges méritent votre reconnaissance et votre respect.

Plus important encore, être votre meilleur ami, c'est prendre soin de vous-même. Dorlotez-vous comme vous aimeriez être dorloté par les autres, comme vous aimeriez choyer votre meilleur ami. Veillez à prendre votre temps, à faire l'effort d'adopter des habitudes saines. Nourrissez votre esprit de pratiques et de règles qui vous aideront à définir votre propre morale. En accordant la plus vive attention à celui ou celle que vous devenez, vous y gagnerez une meilleure opinion de vous-même, et l'indépendance.

58

Respectez
ce que vous êtes seul à savoir

Une relation intime fait de chacun de nous un trésor d'informations sur l'autre, des bourdes les plus sottes aux craintes les plus enracinées et aux habitudes les plus agaçantes. Nous sommes heureux de connaître et d'être connus. Et vivre aux côtés de cet être humain avec qui nous avons abattu des murailles nous libère et nous soulage.

Mais de telles informations sont une arme, et l'envie d'appuyer sur la détente peut vous effleurer. Peut-être avez-vous un grief que vous n'avez pas résolu, et vous sentez-vous heureux d'avoir un public devant qui l'exprimer. Ou bien cherchez-vous simplement une bonne histoire à raconter aux autres, aux dépens de votre partenaire.

Quelles que soient vos raisons, vous portez un coup à votre intimité. Peu importe que vos révélations paraissent insignifiantes ou innocentes : vous avez trahi la confiance de l'autre. Et vous en paierez le prix, qu'il se sente blessé ou décide de répondre sur le même ton.

Quand vous choisissez d'exposer ainsi votre partenaire, vous mettez en danger sa dignité et son amour-propre. Si proches que vous soyez, vous ne pouvez ressentir ce qu'il ressent, penser ce qu'il pense. En public, les gens dissimulent souvent leurs sentiments. Ils feignent l'indifférence, mais la blessure saigne.

Il se pourrait que votre partenaire soit le premier à parler de lui-même, et vous encourage à l'imiter. Peut-être que l'évocation de certains sujets ne le gêne pas. Toutefois, vous ignorez quels secrets sont anodins, et ce qui passait bien hier peut poser problème aujourd'hui.

Il n'y a qu'un moyen de respecter les secrets dont vous avez connaissance : les garder pour vous. Si l'autre commence, souriez et laissez-le finir. Si d'autres décident d'en faire le sujet de leur conversation, taisez-vous. Si vous êtes avec des gens qui aiment fourrer le nez dans les affaires des autres, cherchez des moyens de les éconduire – ou décidez de fréquenter d'autres personnes. Et quand tout échoue, trouvez un prétexte pour vous éclipser. S'il vous arrive de divulguer certaines révélations dans la conversation, assumez-en la responsabilité. Personne ne vous contraint à révéler les secrets de votre couple.

59

Lancez des boules de neige

Votre union est un véritable univers. Rien n'a plus d'importance que son équilibre. Vos efforts sont dignes d'éloges, et votre relation en a, sans aucun doute, bénéficié, selon des voies que vous-même ne pouvez imaginer. Et pourtant...

Vous êtes parfois trop sérieux. Les bons moments passés ensemble, les fous rires, peuvent être aussi positifs que de gros efforts. Détendez-vous et permettez au rire de remplacer le travail de temps à autre.

Rien que pour vous amuser, essayez d'imaginer que vous suivez une de vos journées avec une caméra sur l'épaule. Pour une bonne part, votre fardeau de frustrations ne pèse pas le dixième de ce que vous croyez. De surcroît, vous découvrirez des instants à mourir de rire dans ce qui semble de la plus haute importance. Les émotions cèdent la place au mélodrame, les gestes s'accentuent plus que de nature...

Plus important encore, profitez des bons moments. Cédez à vos impulsions joueuses. Lancez donc cette boule de neige ! Accordez un peu de temps, dans votre vie de couple si affairée, à quelque chose d'aussi peu « improductif » que le jeu. Osez la spontanéité. L'esprit joueur qui a illuminé votre enfance vit toujours en vous. Inutile de le contenir : le rire guérit un cœur trop tendre et rend la vie plus douce.

60

Renouvelez vos serments

Il fut un temps, pas si lointain, où l'on prenait les promesses très au sérieux. Quand quelqu'un dit : « Je donne ma parole », c'était aussi contraignant qu'un contrat signé en bonne et due forme. Mais, chemin faisant, on en est venu à considérer qu'un serment valait moins que le papier sur lequel on l'avait couché. Aujourd'hui, quand les gens se marient et déclarent devant témoins : «... Jusqu'à ce que la mort nous sépare », ils sous-entendent : «... Ou que je change d'avis ».

Tout cela débouche sur une triste conclusion. Si vous prenez l'un et l'autre au sérieux les promesses échangées, vous devrez, pour les respecter, compter sur vous-mêmes plus que sur les autres.

Dans la vie d'un couple, certains problèmes exigent une intervention sérieuse et, si on n'y porte pas remède, peuvent provoquer une rupture de contrat. Le plus souvent, cependant, vous êtes confronté à des questions qui peuvent, et doivent, être considérées comme faisant partie de ce contrat. Pour cette raison, vous rendrez service à votre union en prenant ces engagements suffisamment au sérieux pour les renouveler régulièrement.

Conservez une copie écrite des serments que votre partenaire et vous avez échangés, et lisez-les ensemble. Peut-être y a-t-il dans ces promesses des aspects pouvant donner lieu à discussion, à la lumière des années passées. Ou des excuses à formuler. Qu'avez-vous promis ? Quelles en sont les conséquences dans votre couple ? Parliez-vous sérieusement ou non ?

Vous aurez sans doute des occasions de vous souvenir de vos promesses, et aussi de les renouveler. Ne sous-estimez jamais la valeur des rituels. Les anniversaires et autres commémorations formelles peuvent conférer de la solennité à ce renouvellement.

Unir sa vie à celle d'une autre personne est une décision très importante. Vos promesses sont les fondations de votre union, et ont pour but de veiller sur deux cœurs. Quand le contrat est respecté, vous pourrez ne plus penser qu'à votre vie ensemble, pleinement et fidèlement vécue.

61

Définissez un espace commun

Certains couples ont la chance d'avoir des personnalités, des habitudes, des préférences et des aversions similaires. D'autres se rendent compte que les détails de la vie domestique présentent bien des embûches : ils se chamaillent sur la manière de fermer le tube de dentifrice, ou l'endroit où ranger le linge

Deux personnes peuvent se ressembler, du fait même de leur vie commune, et ne ressentent plus les tensions initiales. D'autres couples recourent à la négociation. Chacun cède quand cela est possible ou définit un compromis.

Mais parfois, de telles solutions ne marchent pas. Dans de tels cas, un couple serait bien inspiré de décréter la neutralité d'une pièce – dans une zone de la maison qu'ordinairement on juge « publique ». Dans le cas d'une opposition franche concernant le rangement, un des partenaires se soumet alors aux exigences d'ordre et de propreté de son partenaire. Il est juste que le partenaire en question se voie accorder un autre espace où il pourra ôter ses chaussures, déboutonner son col et se sentir à l'aise.

Bien entendu, pour vivre heureux ensemble il faut aussi du fair-play, et la méthode est toujours la même : le respect mutuel. Pour apprécier un partenaire qui est différent de vous, vous n'avez pas à changer de personnalité. En revanche, assurez-vous de servir ses besoins comme les vôtres, et de désirer autant de liberté et de bonheur pour l'autre, que pour vous.

62

Prenez de la hauteur

Q uand les problèmes surviennent, nous croyons souvent voir la « vérité » au cœur de la question. Mais la vérité n'est jamais unique. C'est un mélange de faits, d'opinions, de sentiments, de points de vue. La vôtre peut ne ressembler aucunement à celle de votre partenaire. Pour résoudre de façon définitive et constructive un problème commun, il vous faut admettre que la « vérité » est un point de vue que vous devez partager.

Un bon point de départ pour élargir votre optique consiste à dresser un bilan minutieux de la position de l'autre comme de la vôtre. Cela veut dire vous calmer suffisamment pour avoir une conversation détendue, poser des questions sans menace latente : « Je ne comprends pas ton point de vue. Est-ce que tu peux me l'expliquer ? » Écoutez avec attention, et poursuivez la discussion assez longtemps pour que votre partenaire soit satisfait.

Considérer le conflit depuis deux positions opposées vous empêche de trop vous accrocher à une opinion. Accepter l'idée que coexistent deux « vérités », et parfois plus, vous aidera aussi à replacer le problème dans son contexte. Est-ce vraiment essentiel à votre vie de couple ? Comment se présente-t-il si vous l'examinez du point de vue de votre partenaire ?

Accordez-vous mutuellement un peu de distance affective. Soumis à un maelström d'émotions, on a parfois tendance à se focaliser sur la question qui vous turlupine. Faites une pause, laissez les emportements s'apaiser. Fourrez le problème dans un placard mental pendant que vous examinez les bons cotés de votre vie commune.

Appelez votre amour à la rescousse. Le problème est-il un cahot sur la route – avertissement qui vous incite à réduire votre vitesse ? Ou bien un panneau qui signale un changement de direction ? Peut-être est-ce aussi un de ces obstacles que nous réserve l'existence – un défi qui réclame des efforts supérieurs à la moyenne, en vue de parvenir à un objectif élevé. Ou peut-être n'est-ce qu'un nid-de-poule sans importance : il vous suffit d'avancer.

Dans le contexte d'une vie régie par l'amour, la plupart des tensions quotidiennes ne méritent pas l'attention et l'anxiété que nous leur accordons. Avant de transformer un nid-de-poule en panne de moteur, considérez votre couple de plus haut...

63

Plantez un arbre

La vie quotidienne ne doit pas marquer la fin des rêves dans une relation. Un couple est comme un ragoût assaisonné par ces épices que sont les possibilités nouvelles. Rêver ensemble, c'est s'inventer un avenir commun. De surcroît, vous pouvez nourrir vos rêves de plus de certitudes que du temps où votre relation toute neuve n'avait pas encore été mise à l'épreuve : ils s'ancrent avec résolution sur la réalité.

Prenez le temps, en tant que couple, d'examiner les ressources que vous prévoyez pour votre avenir, et déterminez si oui ou non elles servent vos rêves. Économiser quelques dizaines d'euros par mois constitue la première étape pour réaliser vos rêves, ou une partie d'entre eux.

Créez un rituel annuel pour célébrer votre avenir. Peut-être déciderez-vous de planter un arbre chaque année. Ce symbole incarnera le renouveau, la foi en l'avenir, ou même un souci de la postérité. Il exprimera votre amour – l'un pour l'autre, pour les générations futures, pour la planète. Votre rituel mérite de la solennité : prévoyez un toast, des promesses renouvelées, la lecture d'un texte littéraire ou sacré, une déclaration commune affirmant vos intentions. Planter un arbre – au sens propre ou au figuré – cela vous rappelle périodiquement que vous êtes embarqués dans le même bateau, et qu'aujourd'hui ne limite pas les possibilités qui s'offrent à vous.

Il est facile de se considérer prisonnier du présent, au point qu'on cesse de fantasmer sur l'avenir. Les mesquineries du quotidien s'estompent face aux espoirs et aux attentes futurs. Plantez un arbre ensemble, nourrissez l'espoir, et laissez-le ancrer ses profondes racines pour votre avenir.

64

Révisez vos instincts

Toute activité habituelle répétée maintes fois – qu'elle soit physique, mentale, voire affective – peut devenir une seconde nature. Dans le domaine sportif, cela peut vous valoir la victoire et, dans les interventions médicales d'urgence, faire la différence entre la vie et la mort. Mais dans les relations affectives, cela constitue une source de frictions.

Beaucoup de gens réagissent selon des schémas instinctifs. Ces schémas remontent souvent à l'enfance, inculqués par des parents non avertis, des relations traumatisantes avec d'autres enfants, ou avec certains professeurs. Parfois, ils découlent d'expériences à l'âge adulte, liées ou non, à votre partenaire. Dans tous les cas, ils ont la déplaisante habitude d'imposer une injustice à votre compagnon innocent, ou de perpétuer des rapports destructeurs avec la personne responsable des réactions qu'on vous a inculquées.

Repérez les insultes gratuites. Notez les réparties cinglantes. Prenez garde aux fureurs immédiates. Elles signalent immanquablement ces réactions instinctives. Elles fusent sans prévenir à certains stimuli – des commentaires, des actions ou des situations particulières.

Que ces réactions se produisent chez vous ou chez l'autre, ne les laissez pas passer. Signalez-les et discutez-en. Présentez, ou acceptez les excuses nécessaires. Convenez d'un signal quelconque quand ces réactions réapparaissent – un indice puisé dans vos codes conjugaux. Ensuite, adoptez avec résolution des réactions nouvelles et positives qui remplaceront les anciennes.

65

Soyez un havre

La vie n'est qu'une succession de risques. Chaque jour, nous affrontons des défis et des craintes associés à nos familles, nos carrières, à l'éducation de nos enfants, à notre statut dans la société : assez pour nourrir parfois le sentiment d'être exposé et vulnérable. En de tels moments, vous avez besoin d'un havre sûr, où vous pourrez reprendre vos esprits et vous reposer. Toutefois, si ces risques prennent votre foyer pour un champ de bataille, regagner son domicile fait l'effet de se retrouver en pleine tempête.

Ces risques surgissent parfois à la suite d'un comportement inconscient. Imaginons par exemple que votre partenaire multiplie les dépenses inconsidérées avec sa carte de crédit. Ses agissements sont successibles de vous inspirer un pénible sentiment d'incertitude. Les dettes en viennent à représenter davantage qu'une simple insécurité financière. Vous doutez du bon sens de l'autre et de sa loyauté envers vous.

Et lorsqu'arrive le relevé bancaire, vous exprimez votre frustration : « Tu ne penses pas à moi ! » « Je ne veux pas vivre ainsi ! » Ce qui laisse entendre que les actes de votre partenaire auront des conséquences désastreuses.

Si ce problème constitue une « rupture de contrat », vos paroles sont appropriées. Elles rappellent à l'autre, inéluctablement, l'importance que vous accordez à la question. La plupart du temps, cependant, de telles formules ne sont que des menaces en l'air qui provoquent une tension disproportionnée. Là encore, votre couple devient, non un lieu sûr, mais une zone à risques.

Décidez que votre relation constituera pour vous deux un havre de paix. Bien entendu, des questions se poseront, mais refusez de leur laisser prendre des proportions monumentales.

Convenez dès le début que, quoi qu'il arrive, vous le gérerez en amis, et en amants. Aidez-vous mutuellement en identifiant les situations qui vous donnent un sentiment de vulnérabilité. Quand vous identifierez d'où proviennent les craintes, vous pourrez les surmonter ensemble.

66

Laissez la porte ouverte

L es gens que l'on considère comme « chanceux » ont un point commun. Ce sont des adeptes du « tout le monde gagne ». Au lieu de traiter chaque confrontation comme une compétition, ils s'engagent dans un effort conjoint. Plutôt que de viser la première place, ils préfèrent travailler en équipe. Ils acceptent les compromis et les solutions créatrices – dans leur carrière comme dans leurs relations.

Quand un problème pointe le bout de son nez, vous découvrirez sans doute que votre première réaction instinctive n'est pas : « tout le monde gagne ». Le plus important, quand on recherche une solution commune aux querelles, c'est de sauver la face et de garder sa dignité. Trop souvent, en voulant l'emporter, on recourt à des tactiques qui rabaissent, dévalorisent ou humilient votre partenaire. Il réagira donc, tout naturellement, en défendant son amour-propre et en campant sur ses positions.

Vous connaissez sans doute le scénario : l'un demande un conseil, mais n'en tient aucun compte. Si les résultats ne sont pas ceux qu'il espérait, vous lui serinez : « Je te l'avais bien dit. » Par votre arrogance, vous lui interdisez toute porte de sortie, tout moyen de corriger une décision médiocre.

Supposons que vous procédiez différemment. Au lieu de triompher, témoignez du respect à l'autre. Songez comment tirer le meilleur parti de ses efforts, puis affrontez la situation à deux, en mettant en avant des idées utiles pour votre partenaire. De la sorte, vous respectez ses intentions et lui démontrez votre amour.

Laissez la porte ouverte aux solutions de type « tout le monde gagne ». Quand les problèmes menacent, cherchez des moyens de sauvegarder la dignité de l'autre. Ce faisant, vous honorerez votre union… Et vous gagnerez à coup sûr.

67

Parlez avec les mains

L'amour a un effet vivifiant et tend à enflammer l'imagination. Mais il arrive que la familiarité, et les exigences extérieures érodent les sentiments. Dans un « vieux couple », la sécurité se transforme en suffisance, et toute action inspirée par l'amour est remplacée par des mots convenus. Si votre partenaire vous accuse de le négliger, vous vous bornez à répondre : « Tu sais bien que je t'aime ! »

Pour remédier à cette usure de l'amour, appliquez le vieil adage : « Les actes sont plus éloquents que les paroles ».

Dressez le bilan des preuves qui témoignent de votre amour. Consacrez quelques minutes par jour, ne serait-ce que pendant une semaine, à en dresser la liste précise. Cet inventaire peut vous montrer si vos actes expriment votre amour, car aucune relation ne peut s'épanouir sans eux. Si vous avez été négligent, que cela ne vous décourage pas. Commencez dès maintenant, en disant : « Je me rends compte que je te donne peu de preuves de l'importance que tu as pour moi. Pardonne-moi. Je vais mieux faire. »

Trouvez chaque jour un moyen de montrer votre amour, que ce soit lors des corvées domestiques, des projets de sortie, ou par des gestes tendres. Soyez attentif aux désirs de l'autre. Un acte aussi simple que de remettre un outil à sa place, ou de penser à acheter du dentifrice, signifie « Je t'aime » de manière parfois plus convaincante que de grandes déclarations.

N'oubliez pas que les signes physiques d'affection symbolisent un message puissant. Une simple caresse en fin de journée, prendre l'autre dans ses bras lors d'un rire partagé, un baiser inattendu dans le cou anéantissent le pouvoir de nuisance d'une multitude de petites irritations. En vous livrant à ces rappels de votre affection et de votre tendresse, vous réaffirmez votre amour et sa persistance.

68

Ne craignez pas les marées

On nous promet sans cesse que pour tout problème il y a, ou il y aura bientôt, une découverte, une invention, qui saura en venir à bout. Et quand ces promesses ne sont pas tenues, ou tardent à se réaliser, nous perdons patience. Ce n'est que lorsque nous sommes confrontés aux puissances de la nature que nous nous rappelons que le monde ne tourne pas autour de notre petite personne.

La vie a ses saisons. Les gens ont leurs humeurs. C'est naturel. Ces humeurs sont les marées de votre mer intérieure. Respecter ces forces naturelles vous conduira à la sagesse.

Pour commencer, comprenez qu'une humeur varie, par définition. Quand la vôtre est sombre, vous pouvez être tenté d'en rendre responsable quelque chose ou quelqu'un. Pourtant les sentiments, en eux-mêmes, ne sont pas justes ou faux ; ils sont, tout simplement.

Tentez de procéder à un changement extérieur, qui inversera vos marées intérieures. Ou bien, si vos sentiments ne découlent pas d'une cause évidente, rappelez-vous que les humeurs vont et viennent, et que celle-ci passera. Si vous êtes déprimé, n'y ajoutez pas de pensées négatives, et tentez de changer d'humeur grâce à la compagnie d'amis ou à un changement de décor.

Souvenez-vous également que de tels moments ont toutes les chances de se reproduire. Plus vous apprenez à les réguler, moins ils auront de pouvoir sur votre capacité à aimer la vie et votre partenaire. Appelez les choses par leur nom – « Ce n'est pas à cause de toi. Je suis de mauvais poil aujourd'hui. » De cette façon, personne ne sera victime d'une réaction pénible.

69

Faites ce que vous aimez

La passion n'est pas quelque chose qui nous tombe dessus ; elle surgit de l'intérieur. Nous éprouvons sa présence quand nous tombons amoureux. C'est si bon que nous regrettons l'effritement inévitable de cet état d'euphorie. Pour certains, le désir de la ressentir à nouveau mène à l'infidélité, pour d'autres, cela conduit à une série de brèves romances, sans jamais vouloir s'engager.

Certes, la passion physique procure du bonheur. Mais un bonheur limité – sensible au vieillissement, à la maladie, aux séparations, aux humeurs. Une passion qui s'alimente à des sources plus profondes peut durer une vie entière, et apporter un enchantement qui va bien au-delà du physique. Si vous désirez une existence riche et gratifiante – surtout dans le cadre d'une union à long terme – considérez la passion autrement que ne le font les médias.

Plus vous avancez en âge, plus vous rencontrerez d'occasions de découvrir vos passions. Certaines personnes vous touchent au cœur, certaines causes vous émeuvent. Une carrière, un hobby quelconque, peuvent vous passionner. Tout cela vous réveille et motive vos poussées d'énergie les plus exubérantes.

Si vous souffrez d'un manque d'entrain, livrez-vous à un examen de l'espace que vous accordez à vos passions, de l'énergie que vous leur consacrez. Vous êtes seul à savoir ce qui vous comble, ce qui vous anime. Et vous êtes seul à pouvoir accorder à vos passions une place de choix sur la liste de vos priorités.

Pour sentir un regain de passion, nul besoin de changer de partenaire. Entretenez une amitié qui éveille votre intellect et nourrit votre âme. Compensez par une activité bénévole, un hobby ou une reprise de vos études. Quand vous faites ce que vous aimez, vous transformez votre existence en une histoire d'amour avec la vie. Et votre bonheur se transmettra à votre relation. Au lieu de penser avec tristesse que le bonheur éternel dont vous aviez rêvé est impossible, portez haut la torche que vous allumerez au feu de vos passions.

70

Respectez les racines
de votre partenaire

S i des membres de sa famille peuvent être un peu difficiles à accepter, il vous faut distinguer soigneusement votre partenaire de sa parenté au sens large. Vous ne l'avez pas épousée, pas plus qu'il n'a épousé la vôtre. C'est lui, et personne d'autre, qui mérite votre loyauté et votre soutien, comme vous méritez les siens.

Si vous rencontrez des problèmes avec votre propre famille, veillez à comprendre la colère de votre partenaire. Par exemple, si vos parents vous causent des peines depuis l'enfance, l'autre peut nourrir envers eux des sentiments très négatifs, à cause des souffrances que vous avez subies. Soyez clair sur la manière dont votre partenaire peut vous soutenir au mieux lors de réunions familiales stressantes. Et prenez soin d'être le plus ardent défenseur de l'autre quand vous êtes au milieu de votre famille.

Demandez à votre partenaire comment vous pouvez lui faciliter les choses. Si votre milieu familial n'a pas très haute opinion de vous, vous méritez le soutien résolu de votre conjoint. Il serait injuste qu'on vous agresse sans que l'autre vous défende.

Vous devez tous deux vous soutenir mutuellement en vue d'être indulgents à l'égard de vos deux familles. Faites l'effort de mieux les connaître, posez-leur des questions sur leurs vies. Efforcez-vous de trouver un terrain d'entente neutre, de créer des traditions ou des rituels. Respectez leur passé, et demandez-leur d'accepter votre présent. À mesure que vous les connaîtrez davantage, vous découvrirez davantage de qualités à aimer et à apprécier. Vous ne deviendrez peut-être pas leur ami du jour au lendemain, mais vous pourrez jouer un rôle dans la famille, à titre de partenaire aimant et fidèle.

71

Baissez le son

Que vous en ayez conscience ou non, votre environnement s'accompagne d'un bruit constant. Vous y êtes peut-être si accoutumé que vous le remarquez à peine, mais il exerce ses effets quand même – car quand surgit une irritation minime, vous ne serez peut-être pas au mieux de votre forme.

À l'extérieur, il existe peu de moyens de lutter contre le bruit, sinon militer et s'engager politiquement pour réguler la pollution sonore. Mais chez vous, bien des choix sont accessibles.

Pour commencer, songez au nombre de conversations qui se déroulent devant la télévision ou la chaîne stéréo. La moitié du temps, les gens parlent entre eux tandis que leur regard passe de leur interlocuteur à l'écran de la télé.

Pensez aussi au téléphone. Combien de fois, en dépit du répondeur, le laissez-vous interrompre une conversation intime ? Une soirée tranquille peut être complètement court-circuitée par le trop long coup de fil d'un ami, ou par un parfait inconnu cherchant à vous vendre une cuisine équipée.

Rien n'est plus profitable à votre relation que d'être *réellement* présents tous les deux. Accordez-vous une faveur : quand vous discutez, éteignez la télé. De temps à autre, laissez le répondeur filtrer les communications. Mettez la table, allumez des bougies, plutôt que de vous contenter de plateaux-repas.

Combattez la pollution sonore de votre environnement. Vous atteindrez une sérénité que vous n'avez pas connue depuis longtemps.

72

Reconnaissez-le

S'il y a bien une leçon que nous enseigne l'Histoire, c'est que nous commettons tous des erreurs. C'est tout aussi vrai dans une relation amoureuse. Vivre à deux implique toujours de la souffrance, des bourdes, des oublis et des erreurs de jugement.

Il est inévitable que de temps à autre les gens fassent défaut à leur partenaire. Il avait promis d'aller chercher un paquet très important à la poste, et voilà qu'il a oublié. Par sa faute, elle va être en retard. Elle exprime sa déception et son mécontentement et n'obtient que de vagues explications proférées d'un ton furieux – pourquoi n'a-t-elle pas téléphoné pour lui rappeler de le faire, chose à laquelle de toute façon il ne s'était pas engagé ? En bref, il la rend responsable de tout – et elle se sent agressée. Il n'a pas tenu parole et retourne les accusations en la qualifiant d'égoïste. Bonjour, les étincelles !

Supposons qu'il ait admis ses regrets d'avoir oublié le fameux paquet : de la gêne, du remords pour les problèmes qu'il lui causait, de sa colère contre lui-même. Supposons qu'il ait alors décidé de s'excuser, et de faire tout ce qu'il pourrait pour réparer ses torts. Un partenaire compatissant aurait accepté ses excuses, en reconnaissant que tout le monde fait des erreurs. Cet incident somme toute classique aurait engendré une meilleure compréhension mutuelle et la volonté d'agir ensemble pour le bien commun.

La morale de cette histoire est la suivante : les graves problèmes peuvent être transformés en expériences gérables et positives. Quand vous avez tort, remédiez-y en trois étapes. Reconnaissez-le. Demandez pardon. Faites tout votre possible pour réparer. Même si votre partenaire reste de marbre, vous aurez la satisfaction d'avoir agi selon vos principes.

Supprimez le mot « échec »
de votre vocabulaire

Qu'est-ce qu'un échec ? Une tentative qui n'a pas abouti ? Une décision plutôt sotte, un acte irréfléchi, un mot de trop ? Il arrive trop souvent qu'un effort infructueux, un jugement erroné, ou une faute grave, compromette l'estime de soi. Vous ne faites plus la différence entre vous-même et une attitude ou un comportement qui ont mal tourné. Vous finissez par penser que l'échec, c'est vous !

S'accabler de reproches a un pouvoir destructeur qu'on ne saurait sous-estimer. Chaque petite erreur prend une importance disproportionnée sous le poids de l'autocritique. Vous pouvez même en arriver à redouter d'agir, par crainte d'un échec, ou devenir amer et cynique. Vous rêvez de réussite. Vous vous fixez, à vous et à votre partenaire, des buts impossibles à atteindre, et vous vous rendez tous les deux malheureux.

Pour vous créer une vie où vos efforts seront récompensés, il faut apprendre. En fait, vous apprenez, par tâtonnements, la nature même de la vie. N'oubliez pas que beaucoup de gens doués ont obtenu des résultats médiocres à l'école, on leur a répété qu'ils n'arriveraient à rien. Au lycée, Einstein avait de mauvais résultats en mathématiques. Thomas Edison a multiplié les expériences infructueuses et plusieurs de ses entreprises commerciales ont capoté. Mais l'humanité a bénéficié de leur contribution. Comme eux, considérez les erreurs commises comme des indices productifs. Ces échecs les guident vers de meilleures solutions.

Le vocabulaire du succès et de l'échec est ambigu. Quand de tels termes entachent vos réflexions, prenez soin de les supprimer. Comme tout le monde, votre couple et vous êtes en devenir. L'erreur fait partie de ce processus.

74

Écoutez avec vos *autres* oreilles

Vivre à deux peut rendre la voix et les réactions de l'autre si familières que vous finissez par ne l'écouter qu'à moitié, ou plus du tout. Ce n'est que lorsqu'une réaction spectaculaire vous surprend que vous comprenez que vous avez dû manquer un indice en route. Il vous faut écouter autrement qu'avec vos oreilles habituelles.

En règle générale, ce genre de réaction est motivé par une bonne raison. N'oubliez pas que la fatigue physique se répercute sur notre patience. Il vaut presque toujours la peine de risquer de l'agacer en demandant : « Tu te sens bien ? » Si votre partenaire avoue : « J'ai horriblement mal à la tête à cause de mes sinus », il vous suffira de lui témoigner votre sympathie et de lui donner un comprimé, et tout ira bien.

Mais peut-être votre question vous vaudra-t-elle un « Je vais très bien ! » assez sec – suivi d'un bruit de porte qui claque. Refusez la solution de facilité et continuez à écouter. Il est probable qu'une telle réaction ait peu de rapport, ou aucun, avec l'événement qui l'a précipitée. C'est plutôt la petite goutte d'eau qui a fait déborder le vase.

Réagir avec excès, à l'instar de votre partenaire, ne mènera qu'à un affrontement stérile. Gardez votre calme. Si vous êtes à l'origine de l'événement qui a mis le feu aux poudres, veillez à vous excuser – et sincèrement. Que l'autre ait mal réagi n'excuse pas votre indélicatesse. Dans le même temps, exprimez votre surprise devant l'ampleur de la réaction – que votre partenaire peut ne pas avoir mesurée.

Ensuite, cherchez des signes révélateurs – un manque d'amour, une manifestation d'égoïsme, ou des angoisses plus profondes.

Une réaction excessive dissimule souvent de l'anxiété, de la colère, ou une blessure, qui n'a rien à voir avec vous. Il peut être utile d'ouvrir la porte à une telle révélation en demandant : « Il y a quelque chose qui te préoccupe ? » Pour autant que vous sachiez, vous avez manqué, dans la vie de votre partenaire, un incident qui mérite votre attention. En démontrant votre disponibilité, vous découvrirez que vous avez une autre oreille compréhensive à lui prêter.

Occupez-vous de vos affaires

Des dizaines de livres, de magazines, de sites Internet et d'émissions télévisées explorent les arcanes de la bourse ou des investissements. Des banquiers et des agents de change proposent leurs services à des tarifs raisonnables. En décidant de planifier et de gérer l'aspect financier de votre vie de couple, vous vous évitez nombre de déconvenues.

En premier lieu, veillez à vous en occuper en commun. Prévoyez des discussions mensuelles pour prendre des décisions. Il est toujours agréable que quelqu'un d'autre se charge de payer les factures et d'équilibrer les comptes, mais cela ne justifie en rien l'ignorance. Penchez-vous à deux sur les factures, et soyez à jour dans vos comptes. Un savoir partagé vous aidera à prendre des décisions judicieuses.

Élaborez un budget commun qui reflète précisément vos revenus, vos objectifs et vos priorités. Mettez de l'argent de côté pour les dépenses incompressibles, l'épargne à long terme et les investissements, avant de fixer des limites aux dépenses extraordinaires. Un plan financier réaliste et bien conçu peut éviter beaucoup de stress à un couple dans sa vie quotidienne.

Pour finir : aidez-vous mutuellement à respecter ce budget. Définir des limites budgétaires fait aussitôt disparaître les problèmes financiers qui risquent d'accabler régulièrement les couples.

Suivez la stratégie du « plus tard ! »

T ous les couples connaissent des querelles et, vu la nature
humaine, quelques-unes sont inévitables. Votre
meilleure défense en ce domaine est de les gérer sans douleur, aussi rapidement que possible.

Quand un sujet de discorde arrive sur le tapis, regardez
d'abord où vous vous trouvez. En règle générale, les lieux pu-
blics ne sont pas les meilleurs endroits pour se disputer, pas plus
que les réunions familiales ou le couloir donnant sur la chambre
d'un enfant « endormi » –, mais qui ne le restera pas longtemps.
Tout paramètre extérieur – des oreilles qui traînent, d'autres activités en cours (manger, dormir, faire l'amour) imposent un
« plus tard ». Dans le même ordre d'idées, si vous constatez que
la colère a déjà rendu impossible toute discussion raisonnable,
proclamez une trêve jusqu'à ce que votre rythme cardiaque et
votre sens des proportions reviennent à la normale.

S'agissant du conflit lui-même, convenez de vous en tenir
à la question en jeu. Prenez le temps d'exposer chacun votre
point de vue et l'idée que vous vous faites d'une bonne solution. Abstenez-vous de crier : plus vous hurlerez, moins
votre partenaire aura de chances de vous écouter. Évitez les
formules définitives (« Tu es toujours à… » « Tu n'as jamais… »), qui ne feront qu'accroître le stress, ainsi que les
attaques mesquines. Si vous coincez l'autre dans les cordes
afin de prouver votre bonne foi, cela éveillera son instinct de
survie et, invariablement, mènera à une escalade, ou mettra
un terme à la discussion.

Restez ouvert aux bonnes idées

V otre partenaire et vous changez, phénomène dont votre
union est l'expression dynamique. Les circonstances évo-
luent sans arrêt. Les membres de vos familles se transforment et
vieillissent. Votre cercle d'amis croît, décroît, croît de nouveau,
comme les exigences qui s'imposent à vous et à votre union.

Que l'exemple d'autrui vous serve de leçon. Vous êtes en-
touré de couples à différents stades de l'existence, aux expériences très diverses, souvent disparates : vos parents, les
membres de vos familles, vos amis, parfois vos voisins et vos
collègues.

La fréquentation d'un couple qui se manifeste une affection
constante peut vous inspirer sur la manière de recréer ce climat au sein de votre relation. Inversement, passer du temps
avec un couple qui se chamaille vous rappellera la mesquinerie d'une telle attitude.

Les livres, les entretiens, les conférences, offrent des aper-
çus sur divers sujets allant des écueils de communication aux
questions sexuelles. Vous pouvez parfaitement rassembler
des informations fiables sur les défis qui émergent dans un
couple, avant d'y être confronté vous-même.

Prenez en compte la sagesse exprimée par les observations
judicieuses des personnes extérieures à votre couple. Pourtant, si cette personne dispose de plus d'expérience, elle dis-
cerne des détails qui vous échappent. Quand on vous offre
des conseils, vous n'êtes pas contraint de les accepter, mais
vous devriez au moins les écouter.

78

Nourrissez votre corps

N ous avons tendance à donner des explications psycho-logiques à nos réactions exacerbées. Malheureusement, nous négligeons souvent l'aspect physique de ces mêmes réactions. Pourtant les preuves sont là : si vous désirez une vie heureuse, plus paisible et plus équilibrée, surveillez votre état de santé.

Si vous n'avez jamais passé de bilan de santé, faites-le sans attendre. Mieux vaut prévenir que guérir. Dans le même temps, passez en revue votre mode de vie et vos habitudes. On est parfois tellement pris dans la vie quotidienne qu'on oublie à quel point un tel facteur a d'importance.

Prenez-vous suffisamment de repos ? On convient d'ordi-naire que les gens ont besoin de sept à huit heures de som-meil par nuit. Bien des médecins recommandent une interruption dans l'après-midi – sieste de vingt minutes, ou simplement courte pause. Détendu, vous renouvelez vos res-sources affectives et mentales, gardez votre équilibre et votre sens des proportions.

Et si vous preniez un peu d'exercice ? Une bonne marche, plusieurs fois par semaine, a d'excellents résultats sur le cœur et les poumons. Toutefois, ceux qui s'adonnent à une activité physique régulière découvrent qu'elle n'a pas seulement de bons effets sur leur système cardiovasculaire : ils se sentent plus énergiques, plus concentrés.

Une bonne alimentation profite à tout votre corps. Trop de sucre, d'alcool, de cholestérol détériore votre santé, contrairement à des fruits, des légumes et des protéines à faible taux de matières grasses.

C'est surtout une question d'habitude. Vous avez déjà certaines règles de vie ; modifiez-les en incluant davantage votre bien-être physique. Et surtout, apprenez à vous détendre – c'est là le point le plus important. La tension physique ne tarde jamais à se transformer en stress et en anxiété, néfaste pour votre couple et votre amour.

79

Nourrissez votre esprit

Il est facile d'être prisonnier des apparences dans une culture qui accorde tant d'importance à l'allure de nos corps, à notre travail, aux biens que nous possédons. Mais pour mener une vie heureuse, il faut prendre garde à l'apparence de votre esprit – cet aspect de vous-même qui regroupe caractère, intégrité et morale. C'est en lui que vous trouverez la différence entre le transitoire et le durable, le superficiel et l'essentiel. C'est grâce à lui que vous apprendrez qui, et ce qui, a le plus de valeur pour vous.

Pour certains, les besoins spirituels se situent avant tout dans les croyances religieuses. Entretenir activement un rapport avec Dieu leur fournit une norme pour mesurer les décisions, réfléchir aux questions morales et vivre une existence intègre.

Sur un plan plus prosaïque, les arts enrichissent votre vie spirituelle. La peinture, la musique, le théâtre et la littérature, la danse, nourrissent le feu qui est en vous, vous extirpent des limites conventionnelles du langage et de la logique. Ils vous offrent la beauté, accroissent votre créativité.

Il en va de même des merveilles de la nature. Vous y découvrirez quelques-unes des images les plus puissantes et les plus poignantes qui soient, du cycle des saisons, de l'équilibre et de la réciprocité, de la vie et de la mort. Quand vous vous focalisez sur un aspect minuscule de votre existence personnelle, il est facile de perdre le sens des proportions. La nature nous rappelle que jamais la vie ne peut se réduire à un détail, qu'elle est un magnifique faisceau de cellules multiples constamment en mouvement, constamment liées. Étudiez les galaxies, ou regardez dans un microscope. Plus nous examinons ce qui nous entoure, puis nous comprenons que notre humanité a des limites. Une telle humilité est le commencement de la sagesse.

80

Exercez votre intellect

Les deux membres d'un couple peuvent renforcer mutuellement leur étroitesse d'esprit. Vous pouvez lire les mêmes magazines, écouter les mêmes commentateurs aux mêmes points de vue partisans. Vous pouvez aussi nourrir vos cerveaux d'aliments de peu de qualité. D'après vous, combien d'émissions télévisées peuvent-elles se flatter de leur contenu intellectuel ? Combien de films exigent-ils un minimum de réflexion ? Ce que vous lisez fournit-il un enrichissement à la pensée ?

Vous pouvez également trouver dans votre partenaire une motivation pour exercer et nourrir votre intellect, élargir votre vision du monde, aller au-delà de ce qui est facile et reposant. Il y a autant de manières d'y procéder qu'il y a de couples.

Éteignez la télévision de temps à autre – un jour par semaine, ou une semaine par mois. Même à titre de détente en fin de journée, on peut avantageusement la remplacer par de la bonne musique ou par un repas raffiné.

Lisez un livre ensemble, en choisissant ce qui vous tente tous les deux. Les bons livres nous donnent de quoi réfléchir et discuter. Ils nous parlent des autres, de certains événements, de certains lieux, de certaines périodes, ils nous offrent des territoires inconnus à explorer.

N'hésitez pas à apprendre. Les études scientifiques montrent que c'est un bon moyen de réduire les effets du vieillissement. Étudiez quelque chose de nouveau, essayez un nouveau hobby, ou cherchez à accroître votre niveau de compétence dans un domaine que vous maîtrisez.

En fréquentant des lieux marqués par des échanges entre générations ou entre cultures, vous élargissez votre expérience. Ces mélanges vous permettent de connaître d'autres expériences et de contempler le monde avec d'autres yeux.

81

Partagez-vous vos enfants

Une bibliothèque entière ne suffirait pas à couvrir toutes les questions qui se posent aux couples concernés par l'éducation de leurs enfants. Cela s'accompagne d'épreuves quotidiennes qui peuvent donner lieu à des problèmes inutiles si on ne les négocie pas avec tact et discrétion. Voici quatre suggestions simples et efficaces

Restez unis. Par amour de vos enfants, vous pouvez vous montrer des plus têtus dans vos opinions, qui ne sont pas toujours celles de votre partenaire. Il est toutefois essentiel, pour le bien de vos enfants, qu'ils ne soient pas impliqués dans vos divergences. Travaillez de concert, unissez vos forces, différez les décisions qui vous opposent, puis discutez-en en privé. Que chacun d'entre vous appuie les décisions de l'autre. Vos enfants doivent savoir sans ambiguïté que vous formez une équipe.

Soyez cohérents. Quand ils se voient fixer des limites claires, dont ils savent qu'elles ne bougeront pas, vos enfants éprouvent un sentiment de sécurité indispensable à leur équilibre. Quand vous définissez des règles, maintenez-les. Ne soulignez pas l'importance de telle conduite un jour, avant d'en rire ou de n'en tenir aucun compte le lendemain. Quand une attitude ou une situation réclame une nouvelle règle, faites en sorte que celle-ci soit simple et claire. Énoncez les conséquences de toute infraction éventuelle. Et tenez-vous-y. Souvenez-vous bien que vos enfants apprendront davantage de vos actes que de vos paroles.

Partagez le fardeau. Les enfants exigent beaucoup de temps, d'énergie et d'attention. En les mettant au monde, votre partenaire et vous endossez une responsabilité qui vous accompagnera pour le restant de vos jours. L'assumer n'est pas du ressort d'un seul d'entre vous, même si vous décidez que l'un des parents restera au foyer. Quand vous vous en chargez ensemble, le stress est divisé par deux, et vous vous amusez deux fois plus.

Savourez-le tant que cela dure. Les enfants ne seront avec vous que pendant une brève période de leur vie. Bien des parents, quand les leurs sont partis, considèrent que les années épuisantes pendant lesquelles ils les ont élevés ont été les plus belles de leur existence. Profitez de chaque journée quand il en est encore temps.

82

Soyez fier de vos racines

Vous engager vis-à-vis de quelqu'un est un véritable défi car vous fondez une nouvelle famille. Mais cela ne veut pas dire pour autant que votre propre famille disparaît.

Tout le monde ou presque désire maintenir des relations avec les membres de sa parenté, mais ce n'est pas toujours facile. Réjouissez-vous si vous êtes en excellents termes avec les vôtres – si vous passez du temps avec eux, si votre partenaire les apprécie autant que vous, s'ils l'acceptent sans réserve. Ces liens représentent l'un des fondements les plus solides d'une vie de couple heureuse. Pour les autres, quelques règles de base pourront minimiser tout stress éventuel.

Faites passer votre partenaire avant tout – le contraire serait injuste, et en définitive désastreux. Vous vous êtes engagé envers votre partenaire, vous avez fait des promesses que vous devez respecter. Votre union ne pourra s'épanouir si vous faites passer en premier vos frères et sœurs, les membres de votre parenté ou les autres.

Soyez fier de vos racines. Souvenez-vous que, dans la plupart des cas, ceux qui vous ont élevé ont fait de leur mieux. Ils ont commis des erreurs, bien sûr, mais ils vous ont aimé, et cherché votre bien. Pardonnez-leur leurs fautes. Cherchez à surmonter les vieilles rancœurs et comportez-vous en adulte. Vous êtes désormais suffisamment grand pour comprendre, et dépasser, vos discordes d'enfants.

Si vous adoptez un point de vue aimant vis-à-vis de votre famille, votre partenaire apprendra à faire de même. En revanche, votre famille n'est pas le meilleur endroit pour vous plaindre de votre vie amoureuse.

Par-dessus tout, soyez heureux d'avoir une famille. Tout le monde ne peut pas en dire autant. Tirez parti du temps dont vous disposez pour mieux connaître vos origines. Faites l'effort de réparer vos torts, de résoudre de vieux conflits tant que vous en avez l'occasion. Que les membres de votre famille sachent ce que vous admirez en eux, avant qu'il ne soit trop tard. Les petits différends sont moins importants que les liens qui vous unissent.

83

Maintenez le mystère

Il est très réconfortant de pouvoir s'appuyer sur son partenaire pour négocier les hauts et les bas de l'existence. Mais l'intimité n'exige pas une franchise totale et permanente. Il est possible de se montrer honnête, affectivement parlant, et sincèrement épris, sans imposer à votre partenaire tous les détails de votre vie. En fait, vous pouvez garder certains d'entre eux pour vous, afin que votre union garde son attrait.

Songez par exemple au linge sale entassé en fin de journée sur une chaise. Vous êtes chez vous, donc en droit de laisser vos vêtements là où vous les avez ôtés. Mais si votre partenaire trouve cela plus agaçant que sexy, pourquoi vous obstiner ? Rangez-les donc, pour que le coucher (et le lendemain matin) soit plus agréable pour tous les deux.

Il en va de même pour d'innombrables habitudes quotidiennes. Quand vous cessez de vous soucier des réactions de votre partenaire, cela revient à dire : « ta présence m'importe peu ».

Garder un certain mystère dans votre union dépend avant tout de vous. Les remarques de votre partenaire vous rappelleront peut-être que vous vous négligez en sa présence. Si c'est le cas, réfléchissez sérieusement à la façon de retrouver une intimité partagée un peu plus romantique.

Privée de soins, la romance meurt. Un moyen de la nourrir, c'est de garder un certain mystère. Pomponnez-vous en privé. Prenez garde à vos habitudes dont l'autre préfère ne pas être témoin. Et veillez à vous présenter sous votre meilleur jour pour votre conjoint. Vous ajouterez ainsi le plaisir d'un amour renouvelé à la profondeur d'une relation mature.

84

Discutez sur l'oreiller

Il est toujours difficile, dans une relation, d'aboder la question du sexe. L'un des partenaires a toutes les chances de s'en offusquer. C'est là, en effet, une question particulièrement importante et, avec l'argent, l'une de celles qui déclenchent le plus de consultations chez les psychothérapeutes. Si jamais vous connaissez l'angoisse dans la chambre à coucher, vous n'aurez pas d'autre solution que d'en parler.

Comme dans les autres domaines de votre union, vous ne pouvez que supposer les émotions de l'autre. Mais si vous ne vous exprimez pas, il se peut qu'il lui faille beaucoup de temps avant de remarquer votre malaise. Gardez à l'esprit que parfois les problèmes sexuels sont la conséquence de difficultés physiologiques ; un avis médical vous rassurera alors. Mais la plupart du temps, ils reflètent des difficultés au sein du couple. De ce point de vue, ce stress fait partie d'un système d'alarme de l'état de votre union. Il signale que certaines questions doivent être résolues.

Commencez tout doux. Accordez-vous un peu plus de temps en privé. Bien des couples n'ont plus que de rares relations sexuelles parce qu'ils sont trop occupés, angoissés par leurs occupations professionnelles. Une nuit ensemble hors du foyer, des vacances sans les enfants, ou un changement délibéré des rythmes domestiques peuvent relancer la machine.

Bien entendu, les problèmes peuvent être plus profonds. Il ne faut ni renoncer ni désespérer. Fort heureusement, vous n'êtes pas contraints de vous débrouiller seuls. Les conseillers conjugaux, les thérapies, les informations sont à votre disposition. Plus vous en saurez, mieux vous serez équipés pour surmonter les problèmes et redonner vigueur à votre vie intime.

Le plus important est de faire en sorte, quotidiennement, que votre vie sexuelle soit ce qu'elle doit être – un cœur à cœur incomparable sur l'amour que vous vous portez. Gardez-vous d'y poser toutes sortes de conditions. Pensez-y comme à un dessert. Savourez le grand plaisir qu'elle est censée être.

Transformez les repas en fêtes

De nos jours, les événements se succèdent à toute allure. Tout le monde a cependant deux ou trois obligations en commun : chacun doit dormir et manger.

Dormir ensemble est un plaisir incomparable, mais la plupart du temps, c'est le moment où vous êtes inconscient. Manger mérite d'autant plus votre attention. Autrefois, il était de règle que la famille se réunisse autour de la table à des heures précises. Aujourd'hui, beaucoup de familles s'estiment heureuses si elles peuvent, ne serait-ce qu'un soir par semaine, se retrouver assez longtemps pour un dîner en commun. Mais c'est là un choix qu'on peut modifier.

Combien de fois par semaine mangez-vous réellement ensemble ? Sur ce nombre, combien de repas sont-ils improvisés ? Combien de fois, le dîner terminé, prenez-vous le temps de discuter ? Songez-vous à brancher le répondeur ? Combien de fois faites-vous autre chose en mangeant – regarder la télévision, lire ou remplir de la paperasse ?

S'alimenter, ce n'est pas seulement se nourrir. C'est aussi sustenter son esprit. Les repas se prêtent par essence à des moments et à des conversations de qualité. Mais d'abord, vous devrez les arracher au brouhaha d'une vie moderne frénétique, et en faire ces grandes occasions qu'ils peuvent être.

Peut-être l'un d'entre vous (ou les deux !) aime-t-il faire la cuisine. Dans ce cas, que la préparation des repas devienne une part importante du rituel de votre couple. Essayez régulièrement de nouvelles recettes. Ou concoctez des petits déjeuners fastueux les samedis matin. Peut-être, à la fin d'une longue semaine de travail, appréciez-vous la solution « à emporter ». Ne commettez pas l'erreur de croire que le restaurant est le seul endroit où un repas occasionne une fête.

Pour que la vie soit vraiment agréable, il faut du temps libre. Nous sommes tous enclins à nous plaindre de nos existences trop encombrées. Reprenez donc possession d'une part de la vôtre qui, de toute façon, vous revient. Que vos repas soient des fêtes. Qu'ils soient lents, que vous puissiez vous souvenir à quel point la vie peut être belle, à quel point vous êtes heureux d'avoir le partenaire qui est le vôtre.

Une fois par mois, changez
de travail

Si vous pouvez accompagner de temps en temps votre partenaire au cours de sa journée, n'hésitez pas. Mais vous pourriez, et vous devriez, lui demander aussi comment s'est passée sa journée. Intéressez-vous à son travail, ce qu'il en pense et ce qu'il ressent. Pour tirer le meilleur parti de ces occasions, gardez à l'esprit quelques conseils.

En premier lieu, abstenez-vous de proclamer : « Je sais ce que c'est ! », parce que c'est faux. Vous vous montrerez plus réconfortant si vous répondez : « Ça doit vraiment être dur pour toi » ou « Quel effet ça te fait ? »

En second lieu, résistez à la tentation de comparer les expériences de votre partenaire aux vôtres. Il n'est que trop facile de raconter une histoire similaire et de prendre le contrôle de la discussion. Pour la durée de votre conversation, votre partenaire est le sujet principal.

Troisièmement, réservez votre jugement. Peut-être pensez-vous que vous êtes plus à plaindre. Vous aurez beau essayer de le dissimuler, une telle idée diminue votre capacité d'empathie. Votre cerveau abrite une sorte de petit juge au sourire dubitatif et hautain. Vous n'avez aucune chance de comprendre la vie de l'autre d'un tel point de vue.

Et pour finir, servez-vous de votre imagination et de votre amour. Principal soutien de votre partenaire, vous êtes dans une position privilégiée. Si vous le voulez, si vous en faites l'effort, vous pouvez le soulager d'une partie de son fardeau simplement en manifestant votre soutien. Il est toujours plus facile d'endurer les aspects pénibles d'une journée de travail quand on sait pouvoir compter sur la sympathie et la compréhension quand on rentre à la maison.

87

Triez, jetez, donnez

N ous vivons à une période d'abondance. Nos maisons sont conçues pour abriter le maximum de choses, et nous veillons à les remplir. Nous avons parfois une voiture par personne, la télé dans chaque pièce. Nous nous offrons des vêtements pour chaque occasion. En fait, nos habitations sont parfois pleines à craquer.

La consommation matérielle est un choix, comme l'entassement qui en résulte. Vous pouvez vous libérer d'un peu de votre stress en vous séparant d'une partie de ce que vous avez accumulé.

Commencez par les placards, ils sont de ce point de vue une cible de choix ! Convenez avec votre partenaire de passer une heure ou deux à le vider. Divisez le contenu en trois piles : ce qu'on peut garder, ce qu'on doit jeter, ce qu'on peut donner.

Il est facile de déterminer ce qu'il faut jeter. Les petits objets passent directement à la poubelle, mais tenez compte des règlements relatifs au recyclage. Les plus gros seront déposés à la décharge publique.

Cela fait, procédez à un second tri, cette fois pour ce que vous pouvez donner. Il ne manque pas d'organisations caritatives qui recueillent toutes sortes d'objets pour les démunis. Ou bien, vous connaissez quelqu'un qui en aurait besoin. Rassemblez les objets et allez les donner *dans la semaine*.

Et maintenant, passez à ce que vous comptez garder ! Jetez un dernier coup d'œil sur les objets en question. Votre partenaire et vous comptez-vous réellement vous en servir encore ? Y en a-t-il qui ne devraient pas se trouver dans ce placard ? Si oui, rangez-les dans un endroit plus approprié.

Vous voilà enfin prêts à remettre le placard en ordre. Deux dernières questions, rien que pour le plaisir : pourriez-vous organiser le rangement de manière plus efficace, de telle sorte qu'il soit facile de voir le contenu du placard, et d'y accéder ? Si oui, pourquoi pas maintenant ? Installez des tiroirs, des rayonnages, des tringles supplémentaires.

Ce processus peut être répété partout ou presque dans la maison. Y procéder en équipe vous permet des décisions instantanées, au lieu d'empiler des choses en attendant l'avis de votre partenaire. Trop de possessions inutiles alourdissent votre demeure et votre couple. Perdez du poids !

88

En cas de doute, faites la paix

Tout le monde traverse des moments où, sans raison particulière, on considère son partenaire d'un œil critique. C'est l'effet de la fatigue, de l'ennui ou de la mauvaise humeur.

Que cette plongée dans vos sentiments ne débouche pas sur des options radicales. Souvenez-vous qu'aimer et trouver sympathique ne sont pas synonymes. Aimer, c'est bien plus qu'une simple idylle, c'est se lier par un engagement réciproque. Quand on décide de s'unir pour la vie, on accepte tout, et pas seulement le meilleur.

Quand l'autre vous « porte sur les nerfs », faites ce dont vous avez le moins envie. Au lieu de brandir le premier motif d'irritation venu, trouvez un point particulier pour lequel vous pouvez remercier ou louer votre partenaire.

Quand la tentation d'un affrontement vous saisit, retournez le problème en reconnaissant que c'est de votre faute, avant même que la querelle puisse commencer. Excusez-vous d'avoir exprimé votre mauvaise humeur et fait souffrir l'autre. Puis passez à autre chose.

Quand vous éprouvez le plus vif désir de vous enfuir, optez pour une sortie à deux. Cela peut être aussi simple qu'une longue promenade par un jour ensoleillé, ou aussi complexe qu'un week-end imprévu. Ne chargez pas cette occasion de grands espoirs ou de fausse romance.

Quand la mauvaise humeur s'empare de vous, elle s'entretient elle-même. Mais vous pouvez toujours décider de changer de direction. Si, en réaction à des sentiments négatifs, vous agissez de manière positive envers l'autre, vous pouvez inverser leur cours. Quand ils surviennent, réagissez. Et en cas de doute, quand vous vous demandez pourquoi vous vous en prenez à votre partenaire, faites la paix avec vous, et avec lui.

89

Écoutez entre les lignes

Les critiques de votre partenaire touchent particulièrement au vif. Vous vous retrouvez souvent sur la défensive, parce que votre amour-propre est menacé. Si vous voulez conserver un certain équilibre, et rester ouvert à la compréhension, la méthode consiste à « écouter entre les lignes ». La plupart du temps, les critiques comprennent plusieurs niveaux : elles sont dirigées contre vous, mais expriment aussi le malaise de votre partenaire. En règle générale, c'est ce dernier point qui vous permettra de remettre ses griefs à leur place, et d'y remédier.

Faire face aux critiques s'accomplit en plusieurs temps. Il faut d'abord tenter de calmer le jeu : « Répète-moi ce qui te préoccupe. » Restez calme, écoutez la réponse sans céder à la colère ou à la surprise, qui déforment tout.

Une fois informé, demandez des éclaircissements supplémentaires : « S'il te plaît, explique-moi pourquoi c'est un problème. » Bien des « problèmes » n'en sont pas ; il faut que vous sachiez ce qui se cache derrière avant de pouvoir déclarer sincèrement : « Ah, maintenant je comprends. »

Il se peut alors que le grief se justifie. Dans ce cas, saisissez l'occasion de présenter vos excuses. Il est étonnant de voir à quel point elles apaisent une rancœur. Votre partenaire a l'impression d'avoir été compris, et vous de vous comporter en grande personne.

Enfin, demandez-lui : « Comment puis-je mieux faire ? » Peut-être n'apprécierez-vous pas les suggestions qui vous seront faites. Proposez-en d'autres, jusqu'à ce que vous trouviez un terrain d'entente commun.

90

Mettez votre jugement à l'épreuve

Q ue faire quand certains problèmes ont pris des proportions indues ? Discussions et conflits se ressemblent fâcheusement. À chaque fois, vous battez en retraite et perdez espoir.

Si vous êtes piégé dans une telle situation, réfléchissez à vos actes. Un tel blocage prive votre couple de paix, de satisfaction et de promesses. Quand les deux parties refusent de discuter, quand toutes les tentatives de rapprochement échouent, il faut prendre le taureau par les cornes, et chercher une assistance extérieure.

Un thérapeute ou un conseiller conjugal n'est pas lié aux émotions ou à l'histoire du couple : il offre un point de vue professionnel et expérimenté, et surtout, écoute avec objectivité. N'ayant aucune raison de privilégier l'un plutôt que l'autre, il permet aux émotions de se libérer. L'environnement thérapeutique constitue un filet de sécurité qui autorise une franchise devenue impossible à la maison. Et le thérapeute aide un couple à venir à bout des blocages.

L'un des deux membres du couple peut être « mûr » avant l'autre. Ce n'est pas un problème. Les conseillers conjugaux s'accordent sur le fait que chercher conseil est l'essentiel, avec ou sans votre partenaire. Bien entendu, une fois que vous avez commencé à consulter, l'autre peut très bien vous accompagner, ne serait-ce que pour pouvoir se défendre. Ce n'est pas un problème non plus. Là encore, cela débloque la situation et constitue une stimulation bienvenue.

Il est sage et courageux de reconnaître votre besoin de conseils. C'est un signe de maturité.

Gardez à l'esprit que les responsabilités sont partagées. Dans un couple, il faut être deux pour créer des problèmes. En décidant d'entreprendre une thérapie, vous rencontrez un professionnel qui soutient votre relation quand vous n'en êtes plus capable.

91

Ne raillez pas votre partenaire

L'humour est un véritable don du ciel. Il allège notre fardeau quotidien et nous remet les idées en place. Savoir rire de soi est essentiel à une existence équilibrée.

Mais l'humour peut aussi vous monter à la tête. Ce qui est drôle pour l'un devient profondément insultant pour l'autre. Une plaisanterie peut toucher un nerf extrêmement sensible.

L'humour dirigé contre le partenaire est le summum de l'ambiguïté. Nombre de couples ont pris l'habitude de se taquiner en public. Cela peut être simplement un moyen d'afficher leur complicité. Certains couples recourent à l'humour en privé, parfois à bon escient. Si vous avez quelque chose de grave à annoncer, l'humour peut faire passer la pilule plus aisément.

Dans tous les cas, il faut vous souvenir que l'humour, surtout s'il est taquin, dépend des circonstances. Supposons que votre partenaire brocarde en privé un membre de sa famille, il s'agit, pour lui, de surmonter ses sentiments négatifs envers la personne en question. Mais adopter cette conduite en public vous mènera au désastre. Quand on décide de se moquer, il est si facile de froisser les sentiments.

Quand vous plaisantez aux dépens de l'autre, réfléchissez-y à deux fois. Bien des piques ne sont pas accueillies avec la bonne humeur espérée. Allez-y doucement, et restez en éveil. Si votre plaisanterie tourne au vinaigre, *soyez prêt à vous en excuser*.

L'humour est véritable cadeau qui exige de la sensibilité, de la sympathie, et surtout des limites. Il faut être équitable : si vous entendez faire de votre partenaire la cible de vos moqueries, il faudra que vous soyez prêt à tenir ce rôle vous-même.

92

Souvenez-vous de l'amour

Quand il est question d'amour, la culture occidentale moderne nous handicape. Articles, livres, émissions et feuilletons télévisés, films – tous dépeignent idylles et grandes passions pour vendre ou atteindre de bons indices d'écoute. Ils nous martèlent que si la passion s'estompe quelquefois de notre relation, alors l'amour en est absent.

Choisir son partenaire implique la romance, évidemment, et d'ordinaire c'est ainsi que tout commence. Mais l'amour est bien plus que cela. Des qualités comme l'amitié, le soutien affectif, l'engagement réciproque, y jouent un rôle indispensable, comme l'affection, le souci l'un de l'autre. Et soutenant toutes ses valeurs, il y a la loyauté.

La loyauté envers « l'amour de votre vie » caractérise un attachement durable. Sans elle, les prérogatives de votre union – sexuelles, affectives, financières – perdent tout leur sens. Vous n'êtes pas contraint d'être romanesque à tout moment, mais mieux vaut que vous soyez fidèle.

Songez aux questions qui provoquent des frictions entre vous. Examinez-les une par une et mettez-les à l'épreuve. Pour commencer, demandez-vous si l'une d'elles implique votre loyauté. Par exemple, vous pouvez vous opposer à ce que votre partenaire passe la soirée avec quelqu'un d'autre – surtout du sexe opposé. Peu importent les protestations d'innocence, l'offensé mérite des exigences de l'amour et de la loyauté.

Supposez qu'un des membres du couple soit dans l'obligation d'inviter à dîner un collègue important, un raciste notoire. Supposez que le racisme soit insupportable à son partenaire. Dans une telle situation, que devient la loyauté ?

Il est essentiel de discuter de ces questions, et de les résoudre dans des moments tranquilles, d'énoncer les implications du lien qui vous unit.

Que signifie la loyauté dans votre union ? La réponse varie d'un couple à l'autre, selon le niveau de confiance qu'ils ont l'un envers l'autre – et envers eux-mêmes – et, pour parler franc, ce que chacun peut tolérer affectivement. La loyauté, c'est aussi respecter les besoins de l'autre, par amour et compassion.

93

Croyez au pouvoir d'un seul

C omme dit le vieux proverbe : « Une étincelle peut mettre le feu à toute la plaine. » Rien de plus vrai. De même, une remarque suffit à propager une rumeur. C'est l'effet boule de neige. Il illustre parfaitement le pouvoir d'un seul.

Quand vous êtes uni à quelqu'un pour la vie, vous pouvez penser que vous ne pourrez plus vous tirer seul d'une situation – sans l'aide et le soutien de votre partenaire. Bref, vous vous sentez vaincu d'avance.

La plupart d'entre nous n'aiment guère qu'on leur résiste. Et pourtant, toutes les plus belles réussites sont dues, à chaque fois, à un visionnaire face à de nombreux détracteurs. Chose étonnante, la résistance peut donner du corps et de l'intelligence à ce qui n'est, au départ, qu'une petite idée.

Pour parvenir à vos fins, le premier pas consiste à vous persuader que vous pouvez y arriver. Examinez les réussites des autres. Parlez avec des personnes d'expérience. Prenez le temps de rassembler les informations nécessaires. Rien ne remplace une compréhension approfondie pour agir au mieux de vos intérêts.

Souvenez-vous qu'il suffit d'un pas à la fois. Un pas en avant en entraîne un autre, et ils finissent par s'accumuler. Votre projet grandira à mesure qu'il prend de l'élan – encore l'effet boule de neige !

Pour finir, ce projet peut donner des résultats inférieurs à vos espérances, ou dépasser vos rêves les plus fous. Mais si vous ne persistez pas, vous serez certain d'être déçu.

94

Faites donc de l'escalade

I est important de grimper au-dessus de vos problèmes quotidiens pour éviter qu'ils ne submergent votre vie. Car les problèmes sont inévitables : supprimez-en un, deux autres apparaissent à sa place. Ils jonchent le paysage de votre vie comme la végétation le pied d'une montagne. Suivez donc l'exemple du bouquetin.

Cet animal robuste escalade chaque jour les sommets les plus élevés, bien au-dessus des menus soucis des insectes. Il traverse d'un pied léger des terrains qui paraissent impraticables. Il déracine des plantes dont il se nourrit, découvre des ruisselets alimentés par la fonte des glaces, et y étanche sa soif. Tout cela grâce à de petites décisions.

Nous sommes tentés par les solutions rapides : la société nous l'a enseigné. Mais la vie ne coopère pas toujours. Plus vous essayez de faire des pas de géants, plus vous risquez de trébucher. Songez au bouquetin qui grimpe patiemment au sommet d'une falaise. Il ne se soucie pas du temps qu'il y consacre, ni de l'abîme. Il se contente d'avancer résolument. Et il atteint toujours le sommet.

Plutôt que de vouloir faire un grand saut par-dessus les frustrations de la vie, arrêtez-vous et réfléchissez. Souvenez-vous qu'il suffit d'un pas à la fois. Puis avancez.

Rappelez-vous que la vie offre, le long du chemin, des sources où se rafraîchir. Chaque journée recèle des occasions de nourrir votre esprit et votre humeur, d'apaiser vos besoins affectifs. Un progrès lent et résolu, avec des pauses régulières pour vous reposer, vous mènera vers des hauteurs inattendues.

95

Supprimez le négatif

L e langage peut être un outil extrêmement puissant. Un langage négatif peut modifier vos rapports de couple. Chaque petit problème entre vous devient prétexte à réflexions amères. Mais le négatif est une habitude comme une autre, et on peut venir à bout d'une habitude.

En ce domaine, les spécialistes s'accordent : cela réclame environ six semaines. Si vous commencez dès maintenant, il vous faudra donc un mois et demi pour adopter un langage nouveau et positif. C'est peu de temps en comparaison d'une vie entière   et les bénéfices en sont innombrables.

En premier lieu, repérez la négativité. Peut-être commence-t-elle par d'amicales taquineries. Cela se passe dans la bonne humeur, mais elles comportent suffisamment de vérité pour s'insinuer dans vos relations. Et le négatif s'installe à une vitesse vertigineuse. Remarquez quand vous vous lancez des piques, même pour rire. Surprenez les moments où vous décidez de critiquer l'autre plutôt que de le soutenir.

Vous serez peut-être effaré en constatant à quel point votre union s'appuie sur cet aspect. Que vos observations vous encouragent au changement. Pensez de manière constructive. « Comment puis-je évoquer cela en termes positifs et non négatifs ? » « Qu'est-ce que cette situation m'apporte ? »

Ensuite, plutôt que de chercher à effacer vos mauvaises habitudes, remplacez-les...

Nourrissez le positif par un effort conscient, exprimez sans relâche les avantages de votre relation, transformez votre attitude et votre réalité. Car mettre l'accent sur le positif l'encourage à se multiplier.

Table des matières

Bien-être, des livres qui vous font du bien

*Psychologie, santé, sexualité, vie familiale, diététique... :
la collection Bien-être apporte des réponses pratiques
et positives à chacun.*

Psychologie

Thomas Armstrong
Sept façons d'être plus intelligent -
n° 7105

Jean-Luc Aubert et Christiane Doubovy
Maman, j'ai peur – Mère anxieuse,
enfant anxieux ? - n° 7182

Anne Bacus et Christian Romain
Libérez votre créativité ! - n° 7124

Anne Bacus-Lindroth
Murmures sur l'essentiel – Conseils
de vie d'une mère à ses enfants -
n° 7225

Simone Barbaras
La rupture pour vivre - n° 7185

**Martine Barbault
et Bernard Duboy**
Choisir son prénom, choisir son
destin - n° 7129

Doctor Barefoot
Le guerrier urbain - n° 7359

Deirdre Boyd
Les dépendances - n° 7196

Nathaniel Branden
Les six clés de la confiance en soi -
n° 7091

Sue Breton
La dépression - n° 7223

Jack Canfield et Mark Victor Hansen
Bouillon de poulet pour l'âme -
n° 7155
Bouillon de poulet pour l'âme 2 -
n° 7241

Bouillon de poulet pour l'âme de la
femme *(avec J.R. Hawthorne et
M. Shimoff)* - n° 7251
Bouillon de poulet pour l'âme au
travail - *(avec M. Rogerson, M. Rutte et
T. Clauss)* - n° 7259

Kristine Carlson
Ne vous noyez pas dans un verre
d'eau... à l'usage des femmes - n° 7487

Richard Carlson
Ne vous noyez pas dans un verre
d'eau - n° 7183
Ne vous noyez pas dans un verre
d'eau... en famille ! - n° 7219
Ne vous noyez pas dans un verre
d'eau... en amour ! *(avec Kristine
Carlson)* - n° 7243
Ne vous noyez pas dans un verre
d'eau... au travail - n° 7264
Ne vous noyez pas dans un verre d'eau... à
l'usage des hommes - n° 7718
Ne vous noyez pas dans un verre d'eau... à
l'usage des couples - n° 7884

Steven Carter et Julia Sokol
Ces hommes qui ont peur d'aimer -
n° 7064

Chérie Carter-Scott
Dix règles pour réussir sa vie -
n° 7211
Si l'amour est un jeu, en voici les
règles - n° 6844

Loly Clerc
Je dépense, donc je suis ! - n° 7107

Guy Corneau
N'y a-t-il pas d'amour heureux ? -
n° 7157
La guérison du cœur - n° 7244

Armelle Oger
Et si l'on changeait de vie - n° 7258

Dr Xavier Pommereau
Quand l'adolescent va mal - n° 7147

Dr Henri Rubinstein
La dépression masquée - n° 7214

Jacques Salomé
Papa, maman, écoutez-moi vraiment-
n° 7112
Apprivoiser la tendresse - n° 7134

Elaine Sheehan
Anxiété, phobies et paniques - n° 7213

Barbara Sher et Barbara Smith
Vous êtes doué et vous ne le savez
pas - n° 7141

Nita Tucker
Le grand amour pour la vie - n° 7099

Jean-Didier Vincent
Le cœur des autres - n° 7752

Isabelle Yhuel
Mère et fille, l'amour réconcilié -
n° 7161
Quand les femmes rompent - n° 7201

Santé

R. Aron-Brunetière
La beauté et les progrès de la
médecine - n° 7006

Joanna Bawa
Santé et ordinateur : le guide
quotidien - n° 7207

Dr Martine Boëdec
L'homéopathie au quotidien - n° 7021

Dr Jacques Boulet
Se soigner par l'homéopathie - n° 7165

Julia Buckroyd
Anorexie et boulimie - n° 7191

**Dr Jean-Pierre Cahané
et Claire de Narbonne**
Nourritures essentielles - n° 7168

**Dr Laurent Chevallier, Danielle
Verdié-Petibon**
Soigner l'arthrose - n° 7885

Chantal Clergeaud
Un ventre plat pour la vie - n° 7136

Bruno Comby
Libérez-vous du tabac ! - n° 7012

Dr Lionel Coudron
Stress, comment l'apprivoiser -
n° 7027
Mieux vivre par le yoga - n° 7115

Dr David Élia
Comment rester jeune après 40 ans
Version femmes - n° 7111
Le bonheur à 50 ans - n° 7184
50 ans au naturel - n° 6828

Pierre Fluchaire
Bien dormir pour mieux vivre -
n° 7005
Plus jamais fatigué ! - n° 7015

Claire Fontaine
Vivre ! - n° 7218

Sylvia Gaussen
Le guide de l'après-accouchement -
n° 7673

Nicole Gratton
Les secrets de la vitalité - n° 7634

Dr Pierrick Hordé
Allergies, le nouveau fléau ? - n° 7248

Arthur Janov
Le corps se souvient - n° 7257

Chris Jarmey
Le shiatsu - n° 7242

Dr Michel Lecendreux
Le sommeil - n° 7280

Dr Pierre Dukan
Je ne sais pas maigrir - n° 7246

Suzi Grant
48 heures - n° 7559

Maggie Greenwood-Robinson
Le régime bikini - n° 7560

Annie Hubert
Pourquoi les Eskimos n'ont pas de
cholestérol - n° 7125

Dr Catherine Kousmine
Sauvez votre corps ! - n° 7029

Linda Lazarides
Le régime anti-rétention d'eau -
n° 6892

Marianne Leconte
Maigrir - Le nouveau bon sens -
n° 7221

Colette Lefort
Maigrir à volonté - n° 7003

Michelle Joy Levine
Le choix de la minceur - n° 7267

Michel Montignac
Je mange donc je maigris… et je reste
mince ! - n° 7030
Recettes et menus Montignac -n° 7079
Recettes et menus Montignac 2 -
n° 7164
Comment maigrir en faisant des
repas d'affaires - n° 7090
La méthode Montignac Spécial
Femme - n° 7104
Mettez un turbo dans votre assiette -
n° 7117
Je cuisine Montignac - n° 7121
Restez jeune en mangeant mieux -
n° 7137
Boire du vin pour rester en bonne
santé - n° 7188

Lionelle Nugon-Baudon
Toxic-bouffe - Le dico - n° 7216

**Dr Philippe Peltriaux
et Monique Cabré**
Maigrir avec la méthode Peltriaux -
n° 7156

Nathalie Simon
Mangez beau, mangez forme -
n° 7126

Sexualité

Régine Dumay
Comment bien faire l'amour à une
femme - n° 7227

Comment bien faire l'amour à un
homme - n° 7239

Céline Gérent
Savoir vivre sa sexualité - n° 7014

John Gray
Mars et Vénus sous la couette -
n° 7194

Shere Hite
Le nouveau rapport Hite - n° 7294

Dr Barbara Keesling
Comment faire l'amour toute la nuit -
n° 7140
Le plaisir sexuel - n° 7170

Brigitte Lahaie
Les chemins du mieux-aimer -
n° 7128

Dr Gérard Leleu
Le traité des caresses - n° 7004
Le traité du désir - n° 7176

Dagmar O'Connor
Comment faire l'amour à la même
personne… pour le reste de votre vie-
n° 7102

Jean Paccalin
Une pilule nommée désir - n° 7180

Isabelle Yhuel
Les femmes et leur plaisir -
n° 7268

Vie familiale

Cuisine

Comme à la maison –2 - n° 7177
Le marché - n° 7154
Au bonheur des fruits - n° 7163

Christine Ferber
Mes confitures *(édition augmentée)* -
n° 6162
Mes tartes sucrées et salées - n° 7186
Mes aigres-doux, terrines et pâtés -
n° 7237

Nadira Hefied
130 recettes traditionnelles du
Maghreb - n° 7174

Peta Mathias
Fêtes gourmandes - n° 720

Christian Parra
Mon cochon de la tête aux pieds -
n° 7238

Jean-Noël Rio
Je ne sais pas cuisiner - n° 7273

Marie Rouanet
Petit traité romanesque de cuisine -
n° 7159

Denise Verhoye
Les recettes de Mamie - n° 7209

Harmonies

Bruno Comby
Éloge de la sieste - n° 7705

Karen Christensen
La maison écologique - n° 7152

Lama Surya Das
Éveillez votre spiritualité - n° 7281

Karen Kingston
L'harmonie de la maison par le Feng
Shui - n° 7158

Philip Martin
La voie zen pour vaincre la
dépression - n° 7263

Pratima Raichur et Marian Cohn
La beauté à l'ancienne - n° 6929

Jane Thurnell-Read
Les harmonies magnétiques -
n° 7228

Jean Vernette et Claire Moncelon
Les nouvelles thérapies - n° 7220

Richard Webster
Le Feng Shui au quotidien -
n° 7254

Christine Wildwood
L'aromathérapie - n° 7192

Paul Wilson
Le principe du calme - n° 7249
Le grand livre du calme – La
méthode - n° 7249
Le grand livre du calme – Au travail -
n° 7276

Nature et loisirs

Sonia Dubois
La couture - n° 7144

John Fisher
Comprendre et soigner son chien -
n° 7160

Daniel Gelin
Le jardin facile - n° 7143

Louis Giordano
Aux jardiniers débutants :
500 conseils
et astuces - n° 7215

Marjorie Harris
Un jardin pour l'âme - n° 7149

Jean-Marie Pelt
Des fruits - n° 7169
Des légumes - n° 7217

Roger Tabor
Comprendre son chat - n° 7153

Bien-être

7884

Composition Nord Compo
Achevé d'imprimer en France (Manchecourt)
par Maury-Eurolivres
le 10 janvier 2006.
Dépôt légal janvier 2006. ISBN 2-290-34709-4

Éditions J'ai lu
87, quai Panhard-et-Levassor, 75013 Paris
Diffusion France et étranger : Flammarion